愛蔵版《あいぞうばん》

ジュニア空《くう》想《そう》科《か》学《がく》読《どく》本《ほん》⑤

柳《やなぎ》田《た》理《り》科《か》雄《お》・著
藤嶋《ふじしま》マル・絵

汐文社《ちょうぶんしゃ》

結論《けつろん》は、ひとつだけではない

『ジュニア空想科学読本《くうそうかがくどくほん》』を書《か》くようになって、僕《ぼく》には楽《たの》しみが増《ふ》えた。それは、手紙《てがみ》やメールで、そして講演会《こうえんかい》などで実際《じっさい》に読者《どくしゃ》に会《あ》って、このシリーズの感想《かんそう》を聞《き》くこと。「こんなに笑《わら》った本《ほん》はありません」「繰《く》り返《かえ》し読《よ》んでいます」「理科《りか》が好《す》きになりました」といった声《こえ》に出会《であ》うと、もう本当《ほんとう》に嬉《うれ》しくて、「よしっ！」と1人《ひとり》でガッツポーズをキメたりしている。

なかでも「クラスでブームになりました」「友達《ともだち》にも薦《すす》めようと思《おも》う」といった、僕《ぼく》の本《ほん》からコミュニケーションが広《ひろ》がっている様子《ようす》が伝《つた》わってくると、跳《と》び上《あ》がるほど幸《しあわ》せな気持《きも》ちになる。

僕《ぼく》が子《こ》どものときに衝撃《しょうげき》を受《う》けた本《ほん》に、北杜夫《きたもりお》さんの『船乗《ふなの》りクプクプの冒険《ぼうけん》』がある。楽《たの》しくて、面白《おもしろ》くて、読《よ》みながら腹《はら》を抱《かか》えて笑《わら》ったけれど、ふと思《おも》った。「本《ほん》を読《よ》んで、こんなに笑《わら》ってもいいんだろうか？」と。

もちろん、いいに決《き》まっているのだが、当時《とうじ》の僕《ぼく》は「本《ほん》というのは、ためになったり、勉強《べんきょう》になったりするもの。楽《たの》しかったり、笑《わら》ったりするはずがない」と思《おも》い込《こ》んでいたのだ。その頃《ころ》、多《おお》くの人《ひと》が『船乗《ふなの》りクプクプの冒険《ぼうけん》』に抱腹絶倒《ほうふくぜっとう》していたと知《し》ることができたら、どんなによかったか……と思《おも》う。

だから、僕《ぼく》の本の感想《かんそう》もどんどん友達《ともだち》に伝《つた》えてほしいのだが、そのときに、ちょっとだけ気《き》をつけてほしいことがある。たとえば今回《こんかい》、僕《ぼく》は「ラピュタと巨神兵《きょしんへい》が戦《たたか》えば、ラピュタが勝《か》つ」と書《か》いた。科学的《かがくてき》な姿勢《しせい》と手法《しゅほう》で導《みちび》いた結論《けつろん》だが、でもそれだけが「正《ただ》しい結論《けつろん》」ではない。

科学《かがく》が導《みちび》く結論《けつろん》には、いつでも「前提《ぜんてい》」がある。ラピュタが巨神兵《きょしんへい》に勝《か》つのは、ビームの破壊《はかい》力《りょく》を推測《すいそく》するさまざまな方法《ほうほう》のなかで「火球《かきゅう》の広《ひろ》がり方《かた》に注目《ちゅうもく》した場合《ばあい》」であり、巨神兵《きょしんへい》が「人《にん》間《げん》が巨大化《きょだいか》したときと同《おな》じスピードで歩《ある》き」「7日間《かかん》で世界《せかい》を滅《ほろ》ぼせるギリギリの人数《にんずう》だった場《ば》合《あい》」だ。別《べつ》の前提《ぜんてい》を立《た》てれば、結論《けつろん》が逆転《ぎゃくてん》することもある。

大学《だいがく》や研究機関《けんきゅうきかん》で行《おこな》われる研究《けんきゅう》では、考《かんが》えられる前提《ぜんてい》をすべて洗《あら》い出《だ》し、それぞれ検討《けんとう》し、総《そう》合的《ごうてき》な結論《けつろん》を出《だ》す。本当《ほんとう》の意味《いみ》での「科学《かがく》」とは、そういう姿勢《しせい》で取《と》り組《く》むものだ。

だが『ジュニア空想科学読本《くうそうかがくどくほん》』は、楽《たの》しく読《よ》めることを優先《ゆうせん》しているので、多《おお》くの人《ひと》が実感《じっかん》しやすいであろう一《ひと》つの前提《ぜんてい》を立《た》て、そこから導《みちび》き出《だ》せる結論《けつろん》だけを書《か》いている。前提《ぜんてい》を抜《ぬ》きにして「巨神兵《きょしんへい》はラピュタにかなわないのだ」と友達《ともだち》に言《い》っても、うまく伝《つた》わらないし、相手《あいて》が巨神《きょしん》兵《へい》のファンだったりすると間違《まちが》いなく大《おお》ゲンカになる。その点《てん》だけ、どうか気《き》をつけてね。

僕《ぼく》が望《のぞ》むのは、読者《どくしゃ》の皆《みな》さんが、自分《じぶん》なりの前提《ぜんてい》を立《た》てて、自分《じぶん》なりに問題《もんだい》を考《かんが》えてくれるようになること。『ジュニア空想科学読本《くうそうかがくどくほん》』が、そのきっかけになってくれたら最高《さいこう》だなあ。

愛蔵版《あいぞうばん》

ジュニア空《くう》想《そう》科《か》学《がく》読《どく》本《ほん》⑤

目《もく》次《じ》

とっても気《き》になる昔話《むかしばなし》の疑問《ぎもん》

あまりに悲《かな》しい『人魚姫《にんぎょひめ》』の物語《ものがたり》。悲劇《ひげき》は避《さ》けられなかったのでしょうか？

どうにかならんかったのかなあ、と切《せつ》ない気持《きも》ちがマックスになるのが、アンデルセン童話《どうわ》『人魚姫《にんぎょひめ》』である。まだ53文字《もじ》しか書《か》いていないのに、もう切《せつ》なくてたまらん。書《か》くのやめていいですか？　あ、やっぱりダメ？

その切《せつ》ない物語《ものがたり》はこうだ。深《ふか》い海《うみ》の底《そこ》に人魚《にんぎょ》の国《くに》があり、その6番目《ばんめ》の王女《おうじょ》は「人魚姫《にんぎょひめ》」と呼《よ》ばれていた。

15歳《さい》になった人魚姫《にんぎょひめ》は、初《はじ》めて海《うみ》の上《うえ》へ出《で》る。そして船《ふね》に乗《の》っていた王子《おうじ》を好《す》きになってしまうが、夜《よる》になると王子《おうじ》の船《ふね》は嵐《あらし》で沈没《ちんぼつ》。人魚姫《にんぎょひめ》は王子《おうじ》を抱《かか》え、必死《ひっし》で浜辺《はまべ》に泳《およ》ぎ着《つ》いた。そこへ、

1人《ひとり》の娘《むすめ》が通《とお》りかかる。人魚姫《にんぎょひめ》が岩陰《いわかげ》に隠《かく》れると、娘《むすめ》は王子《おうじ》を抱《だ》き起《お》こし、王子《おうじ》はなんと、娘《むすめ》に助《たす》けてもらったと勘違《かんちが》いする。おいっ、王子《おうじ》、キミのその勘違《かんちが》いが話《はなし》をややこしくするんだ！真実《しんじつ》に気《き》づかんかい！

ストーリーを紹介《しょうかい》している途中《とちゅう》でコーフンしている場合《ばあい》ではない。話《はなし》に戻《もど》ると、その日以来《ひいらい》、王子《おうじ》のことが頭《あたま》から離《はな》れない人魚姫《にんぎょひめ》は、人間《にんげん》になりたくて、魔女《まじょ》のところへ足《あし》をもらいに行《い》く。すると魔女《まじょ》は言《い》った。「その代《か》わり、声《こえ》をもらうよ」。さらにもうひとつ、「もし王子《おうじ》が別《べつ》の娘《むすめ》と結婚《けっこん》したら、おまえは泡《あわ》になって消《き》えてしまうことになる」。うわーっ、それって失恋《しつれん》＝死《し》ってことじゃん。あまりにも過酷《かこく》な条件《じょうけん》だよー。

だが、人魚姫《にんぎょひめ》はこの条件《じょうけん》を受《う》け容《い》れた。希望《きぼう》どおり足《あし》をもらって王子《おうじ》にアプローチ、お城《しろ》で暮《く》らすことに成功《せいこう》する。王子《おうじ》は人魚姫《にんぎょひめ》を妹《いもうと》のようにかわいがるが、「好《す》き」とは思《おも》ってくれない。彼《かれ》は、自分《じぶん》を助《たす》けてくれた女性《じょせい》のことで頭《あたま》がいっぱいだったのだ。人魚姫《にんぎょひめ》は「あなたを助《たす》けたのは私《わたし》」と真実《しんじつ》を告《つ》げたいし、王子《おうじ》への愛《あい》も伝《つた》えたいが、声《こえ》をなくした今《いま》、それもできない。そのうち、王子《おうじ》は、隣《となり》の国《くに》の王女《おうじょ》との結婚《けっこん》を決《き》めてしまう。その王女《おうじょ》こそは、王子《おうじ》を助《たす》けてくれた（と勘違《かんちが》いしている）女性《じょせい》だった……！

結婚式《けっこんしき》の夜《よる》、人魚姫《にんぎょひめ》の姉《あね》たちが海面《かいめん》に現《あらわ》れた。魔法《まほう》の短刀《たんとう》で王子《おうじ》を殺《ころ》せば、人魚姫《にんぎょひめ》は人魚《にんぎょ》に戻《もど》れるという。人魚姫《にんぎょひめ》は短刀《たんとう》を持《も》って王子《おうじ》の寝室《しんしつ》に入《はい》るが、愛《あい》する王子《おうじ》を殺《ころ》すことはできなかった。人魚姫《にんぎょひめ》が短刀《たんとう》を捨《す》て、海《うみ》に入《はい》ると、彼女《かのじょ》は泡《あわ》になって消《き》えていくのだった……。

むむむ〜っ、やっぱり切《せつ》ない！　悲《かな》しすぎます、この話《はなし》！　いったいなぜこんなコトに⁉

◆人魚《にんぎょ》とはどんな生物《せいぶつ》か？

悲劇《ひげき》の原因《げんいん》は、王子《おうじ》がスットコドッコイだったからだと筆者《ひっしゃ》は思《おも》うが、これぱかりは科学《かがく》の力《ちから》ではどうにもなりません。この問題《もんだい》に科学《かがく》で近《ちか》づけるとしたら、そもそも「人魚《にんぎょ》」とはどんな生物《せいぶつ》なのか、ということだろう。

アンデルセンは、童話《どうわ》のなかでこう表現《ひょうげん》している。「足《あし》というものがなく、胴《どう》の下《した》は魚《さかな》の尻尾《しっぽ》になっているのでした」。また、いくつかの絵本《えほん》を読《よ》んでみたが、どれも腰骨《こしぼね》ぐらいから下《した》が魚《さかな》になっている。「腰骨《こしぼね》までは人間《にんげん》、腰骨《こしぼね》から下《した》が魚《さかな》」の生物《せいぶつ》とは、どういう生態《せいたい》なのか？

人間《にんげん》と魚《さかな》には、大《おお》きな違《ちが》いがある。

まず、子《こ》どもの産《う》み方《かた》。人間《にんげん》は卵《たまご》ではなく、子《こ》どもを産《う》んで乳《ちち》を与《あた》える。このような動物《どうぶつ》は「哺乳類《ほにゅうるい》」と呼《よ》ばれる。これに対《たい》して魚《さかな》は、卵《たまご》を産《う》む「魚類《ぎょるい》」だ。人魚《にんぎょ》たちは乳房《ちぶさ》を貝《かい》で隠《かく》しているのが定番《ていばん》だから、子《こ》どもの産《う》み方《かた》に関《かん》しては、哺乳類《ほにゅうるい》と同《おな》じではないだろうか。これは、王《おう》子《じ》との結婚《けっこん》を望《のぞ》む人魚姫《にんぎょひめ》にとって、よいお知《し》らせだ。

続《つづ》いて、呼吸《こきゅう》の仕方《しかた》。哺乳類《ほにゅうるい》は空気中《くうきちゅう》から酸素《さんそ》を取《と》り入《い》れる肺呼吸《はいこきゅう》、魚類《ぎょるい》は水中《すいちゅう》から酸素《さんそ》を取《と》り入《い》れるえら呼吸《こきゅう》をする。人魚姫《にんぎょひめ》は、王子《おうじ》に会《あ》うまではずっと海底《かいてい》で暮《く》らしていたのだから、えら呼吸《こきゅう》をしていたのではないかなあ。そういう人《ひと》が陸上《りくじょう》で暮《く》らそうと思《おも》ったら、足《あし》より何《なに》より、まずはえら呼吸《こきゅう》を肺呼吸《はいこきゅう》に変《か》えてもらわないと、息《いき》ができなくて死《し》んでしまう。

これに関連《かんれん》して、人間《にんげん》が声《こえ》を出《だ》せるのは、肺《はい》があるからだ。人魚姫《にんぎょひめ》がえら呼吸《こきゅう》をしていたとしたら、そもそも声《こえ》は出《だ》せなかったはずで、魔女《まじょ》に「足《あし》の代《か》わりに、声《こえ》をもらうよ」と言《い》われたって、返事《へんじ》もできなかったことになる。不思議《ふしぎ》だが、海底《かいてい》で肺呼吸《はいこきゅう》をしていたのかなあ？

そして、人間《にんげん》と魚《さかな》が違《ちが》うのは、背骨《せぼね》の曲《ま》がり方《かた》。哺乳類《ほにゅうるい》の背骨《せぼね》が前後《ぜんご》に曲《ま》がるのに対《たい》して、魚《さかな》は体《からだ》を左右《さゆう》にくねらせて泳《およ》ぐ。上半身《じょうはんしん》が人間《にんげん》、下半身《かはんしん》が魚《さかな》の人魚姫《にんぎょひめ》の場合《ばあい》、いったいどういう動《うご》きになるのだろう？　想像《そうぞう》するに、人間《にんげん》が上半身《じょうはんしん》はクロール、下半身《かはんしん》はバタフライで泳《およ》ぐようなもので……って、文字《もじ》で書《か》くのはカンタンだけど、そんなコトできません！

◆上半身《じょうはんしん》だけがドンドン進化《しんか》！

う～ん、考《かんが》えれば考《かんが》えるほど、人魚《にんぎょ》とはどういう生物《せいぶつ》なのか、ナゾは深《ふか》まる一方《いっぽう》だ。

では、人魚姫《にんぎょひめ》の下半身《かはんしん》が魚《さかな》ではなく、イルカやジュゴンのようなもの、と考《かんが》えたらどうだろう？　これらの動物《どうぶつ》は、人間《にんげん》と同《おな》じ哺乳類《ほにゅうるい》だから、子《こ》どもを産《う》み、肺《はい》で呼吸《こきゅう》し、体《からだ》を前後《ぜんご》にくねらせて泳《およ》ぐ。イルカは声《こえ》も出《だ》せるし、ほとんどの問題《もんだい》は解決《かいけつ》するのでは……。

しかし、どんな絵本《えほん》を見《み》ても、人魚姫《にんぎょひめ》の下半身《かはんしん》にはウロコがある。魚《さかな》にとってウロコとは、体表《たいひょう》を保護《ほご》し、外敵《がいてき》や寄生虫《きせいちゅう》から身《み》を守《まも》り、音《おと》や水流《すいりゅう》の速《はや》さや温度《おんど》を感知《かんち》するセンサーの役目《やくめ》まで果《は》たす、とっても大事《だいじ》な器官《きかん》。イルカやジュゴンは、もともと陸上《りくじょう》に棲《す》んでいた哺乳類《ほにゅうるい》が、海《うみ》に入《はい》って進化《しんか》した動物《どうぶつ》だ。イルカは牛《うし》や豚《ぶた》の、ジュゴンはゾウの仲間《なかま》だった。だからウロコを持《も》たないのだ。

この点《てん》から考《かんが》えると、やはり人魚《にんぎょ》は完全《かんぜん》な哺乳類《ほにゅうるい》ではなく、あくまでも「上半身《じょうはんしん》は人間《にんげん》、下半《かはん》身《しん》は魚《さかな》」なのだろうなあ。

すると、人魚《にんぎょ》がどのような進化《しんか》をして生《う》まれたのか、という問題《もんだい》が浮《う》かび上《あ》がる。

人間《にんげん》などの哺乳類《ほにゅうるい》は、魚《さかな》から進化《しんか》した。魚類《ぎょるい》↓両生類《りょうせいるい》(カエル、イモリ、サンショウウオ)↓は虫《ちゅう》類《るい》(トカゲ、ヘビ、ワニ、カメ)↓哺乳類《ほにゅうるい》という道筋《みちすじ》だ。これに照《て》らせば、人魚姫《にんぎょひめ》がどういう生物《せいぶつ》なのか、よくわかる。おそらく彼女《かのじょ》の一族《いちぞく》は、下半身《かはんしん》は魚《さかな》のままで、上半身《じょうはんしん》だけが、カエル、トカゲ、サル、ヒトと、どんどん進化《しんか》してきたのだ！　わ〜、想像《そうぞう》すると不気味《ぶきみ》だよ〜。

◆王子《おうじ》はイケメンだったか？

人間《にんげん》と魚《さかな》はこれほど違《ちが》うのだから、人魚姫《にんぎょひめ》が足《あし》をゲットしてお城《しろ》で暮《く》らしても、なかなかうまくいかなかったのは当然《とうぜん》かもしれないなあ。その結果《けっか》、彼女《かのじょ》のひたむきな気持《きも》ちは、王子《おうじ》には伝《つた》わらず、王子《おうじ》の幸《しあわ》せを祈《いの》って、泡《あわ》になって消《き》える……。

だが、いまさらかもしれないが、筆者《ひっしゃ》は人魚姫《にんぎょひめ》に一《ひと》つだけ言《い》いたい。王子《おうじ》を素敵《すてき》だと思《おも》った、あんたの目《め》は確《たし》かだったのか？と。

これ、スットコドッコイ野郎《やろう》に惚《ほ》れたことを揶揄《やゆ》しているのではなく、物理的《ぶつりてき》な話《はなし》だ。人間《にんげん》や魚《さかな》に物《もの》が見《み》えるのは、目《め》に入《はい》ってきた光《ひかり》が、目《め》の表面《ひょうめん》の角膜《かくまく》と、その奥《おく》のレンズで折《お》れ曲《ま》がり、光《ひかり》を感《かん》じる網膜《もうまく》に集《あつ》まるから。屈折《くっせつ》とは、光《ひかり》が「空気《くうき》と水《みず》」など、種類《しゅるい》の違《ちが》う透明《とうめい》な物質《ぶっしつ》の境目《さかいめ》で折《お》れ曲《ま》がることで、レンズでは厚《あつ》いほど大《おお》きく屈折《くっせつ》する。

人間《にんげん》と魚《さかな》の違《ちが》いは、人間《にんげん》の角膜《かくまく》が空気《くうき》に接《せっ》するのに対《たい》し、魚《さかな》の角膜《かくまく》が水《みず》に接《せっ》していること。水《みず》と角膜《かくまく》との境界《きょうかい》では、屈折《くっせつ》がほとんど起《お》こらないため、魚《さかな》の目《め》のレンズは、光《ひかり》を大《おお》きく屈折《くっせつ》させられるように、厚《あつ》くなっている。海底《かいてい》で暮《く》らす人魚姫《にんぎょひめ》も、目《め》のレンズは厚《あつ》いはずだ。

そんな人魚姫《にんぎょひめ》が、地上《ちじょう》に出《で》てきたらどうなるか。角膜《かくまく》が空気《くうき》に触《ふ》れるため、そこでも屈折《くっせつ》が起《お》こる。すると光《ひかり》は屈折《くっせつ》しすぎて、網膜《もうまく》より手前《てまえ》に集《あつ》まってしまう。これは人間《にんげん》でいえば「近視《きんし》」

という状態《じょうたい》。人魚姫《にんぎょひめ》は、地上《ちじょう》では分厚《ぶあつ》いメガネでもかけない限《かぎ》り、大好《だいす》きな王子《おうじ》の顔《かお》さえよく見《み》えなかったはずなのだ。つまり、近《ちか》くでよ〜く見《み》たら、優《やさ》しいあんたが好《す》きになるほどのイイ男《おとこ》じゃなかったかもよ！

……などと言《い》っても、自分《じぶん》の命《いのち》を捨《す》ててまで王子《おうじ》を守《まも》った人《にん》魚姫《ぎょひめ》は喜《よろこ》ばないだろうなあ。せめて天《てん》の国《くに》で幸《しあわ》せになってください。筆者《ひっしゃ》も、自分《じぶん》を助《たす》けてくれた人《ひと》を間違《まちが》えたりしないように、人《ひと》を見《み》る目《め》を磨《みが》こうと思《おも》います。

とっても気《き》になるゲームの疑問《ぎもん》

『ポケモン』のランターンの光《ひかり》は、水深《すいしん》5千《せん》mから水面《すいめん》に届《とど》くそうです。本当《ほんとう》でしょうか？

「ランターン」という名前《なまえ》を聞《き》いて、すぐに姿《すがた》が思《おも》い浮《う》かんだあなたは、相当《そうとう》なポケモン通《つう》だ。

「たかさ1・2m　おもさ22・5kg」のライトポケモンで、魚《さかな》のような姿《すがた》。パッチリとしたつぶらな瞳《ひとみ》を持《も》ち、頭《あたま》から伸《の》びたツノの先《さき》には黄色《きいろ》いボールが2個《こ》ついている。かわいいが、すごいワザを持《も》っているわけではないし、どちらかというと地味《じみ》なポケモンであろう。

ポケモンのなかには、危険《きけん》な力《ちから》を持《も》つものも多《おお》く、たとえばルギアが翼《つばさ》をはばたくと嵐《あらし》が40日《にち》間《かん》も続《つづ》き、レシラムが尻尾《しっぽ》から炎《ほのお》を出《だ》すと世界《せかい》の天気《てんき》が急変《きゅうへん》し、ゼクロムは稲妻《いなずま》で世界《せかい》を焼《や》き尽《つ》くすという。いずれも、一歩《いっぽ》間違《まちが》うと、地球《ちきゅう》を壊滅《かいめつ》させるかもしれないスーパー能力《のうりょく》だ。

だが、昔《むかし》から「人《ひと》は見《み》かけによらない」と申《もう》しますように、ポケモンも外見《がいけん》や攻撃力《こうげきりょく》だけで判断《はんだん》してはいけない。科学的《かがくてき》に考《かんが》えると、ここで取《と》り上《あ》げるランターンこそ、びっくりするほど恐《おそ》ろしいポケモンなのだ！

◆超深海《ちょうしんかい》から、光《ひかり》が届《とど》く！

ランターンの何《なに》がそんなにすごいのか。

それは、頭《あたま》のうえの2つのボールが放《はな》つ光《ひかり》が、きわめて強烈《きょうれつ》らしいことだ。

『ポケモン全《ぜん》キャラ大図鑑《だいずかん》』(小学館《しょうがくかん》)には、こう書《か》いてある。

「まぶしい光《ひかり》をはなって、相手《あいて》の目《め》をくらませ、動《うご》けない間《あいだ》にまるのみにしてしまうぞ」。

また、『ポケモン全《ぜん》キャラ大事典《だいじてん》』(小学館《しょうがくかん》)には、オーキド博士《はかせ》がコメントを寄《よ》せている。

「ランターンの光《ひかり》は5000メートルの深《ふか》さからも水面《すいめん》にとどく明《あか》るさじゃ。夜《よる》に海底《かいてい》を見《み》ると光《ひかり》が星空《ほしぞら》のように見《み》えることから〝深海《しんかい》の星《ほし》〟ともよばれとるぞ」。

深海《しんかい》の星《ほし》とは、ずいぶんロマンティックな響《ひび》きである。だが、水深《すいしん》5千《せん》mから水面《すいめん》にまで届《とど》く強烈《きょうれつ》な光《ひかり》を、そんな甘《あま》い言葉《ことば》で形容《けいよう》していいのだろうか。

水《みず》は透明《とうめい》だから、光《ひかり》をいくらでも通《とお》しそうな気《き》がしてしまう。だが、透明度《とうめいど》の高《たか》い水《みず》でも、すべての光《ひかり》を透過《とうか》させることはなく、わずかに跳《は》ね返《かえ》したり、吸収《きゅうしゅう》したりする。

さまざまなものが溶《と》けている海水《かいすい》となると、なおさらだ。『深海生物学《しんかいせいぶつがく》への招待《しょうたい》』（長沼毅《ながぬまたけし》／Ｎ《エヌ》ＨＫ《エイチケー》ブックス）によれば、どんなに清澄《せいちょう》な海《うみ》でも、水深《すいしん》１００ｍまで届《とど》く光《ひかり》は、海面《かいめん》の１００分《ぶん》の１程度《ていど》だという。残《のこ》る１００分《ぶん》の99は、水《みず》に遮《さえぎ》られて届《とど》かないのである。

それよりさらに１００ｍ深《ふか》い、水深《すいしん》２００ｍとなると、届《とど》く光《ひかり》は海面《かいめん》の「１００分《ぶん》の１」の「１００分《ぶん》の１」、つまり１万分《まんぶん》の１になる。このように、海水《かいすい》を通《とお》り抜《ぬ》ける光《ひかり》は、１００ｍごとに１００分《ぶん》の１に減《へ》っていくわけだ。

すると、水深《すいしん》５千《せん》ｍの場合《ばあい》は「１００分《ぶん》の１」を50回《かい》繰《く》り返《かえ》すことになる。つまり「１のあとに０が１００個《こ》つく数《かず》」分《ぶん》の１で、実際《じっさい》に書《か》けば、１０００分《ぶん》の１！

日本語《にほんご》で最《もっと》も大《おお》きな数《かず》を表《あらわ》す「無量大数《むりょうたいすう》」でも、１のあとにつく０の個数《こすう》は68個《こ》だから、もはや日本語《にほんご》では表《あらわ》せない数《かず》ということだ。

それほど弱《よわ》くなっても、「深海《しんかい》の星《ほし》」にたとえられるほど、海面《かいめん》からも観察《かんさつ》できるランターンの光《ひかり》。水深《すいしん》５千《せん》ｍの海底《かいてい》では、いったいどれほどの光《ひかり》を放《はな》っているのだろうか？

◆あのゼットンよりもすごい！

ヒントになるのは、オーキド博士《はかせ》の「夜《よる》に海底《かいてい》を見《み》ると光《ひかり》が星空《ほしぞら》のように見《み》える」というコメントだ。これは、海《うみ》の底《そこ》でぼうっと淡《あわ》く光《ひか》っている……というくらいの見《み》え方《かた》だと思《おも》うが、それでも肉眼《にくがん》で見《み》えることは間違《まちが》いない。そこで、海面《かいめん》から見《み》えるランターンの光《ひかり》の明《あか》るさを、肉眼《にくがん》でギリギリ見《み》える６等星《とうせい》と同《おな》じと仮定《かてい》しよう。

それでも、油断《ゆだん》してはならない。繰《く》り返《かえ》すけど、１０００……(０が１００個《こ》)分《ぶん》の１に弱《よわ》くなっても、その明《あか》るさに見《み》えるということなのだから。

光《ひかり》の明《あか》るさは、電力《でんりょく》にも使《つか》われる「W《ワット》」や「kW《キロワット》」で表《あらわ》すことができる。「m」と「km」の関係《かんけい》からわかるように、１kW《キロワット》＝１０００W《ワット》だ。

では、ランターンが水深《すいしん》５千《せん》mの深《ふか》さで放《はな》っていた光《ひかり》はどれほどか？　計算《けいさん》してみて、呆然《ぼうぜん》！

３４００(０が94個《こ》)kW《キロワット》なのだ！

これは本当《ほんとう》に恐《おそ》ろしい数字《すうじ》である。えっ、太陽《たいよう》より明《あか》るいかって？　いやもうそんなモノは比《ひ》較《かく》になりません。全《ぜん》宇《う》宙《ちゅう》の星《ほし》が放《はな》つ光《ひかり》の９００００００００００００００００００００００００

000000000000000000000(0が49個《こ》)倍《ばい》。これはもう、現実《げんじつ》の世界《せかい》には存在《そんざい》しない明《あか》るさということだ。

もちろん、空想科学《くうそうかがく》の世界《せかい》にはズバ抜《ぬ》けたツワモノもいて、筆者《ひっしゃ》がこれまでに巡《めぐ》り会《あ》ったもっとも強《つよ》い光《ひかり》とは、『ウルトラマン』の最終回《さいしゅうかい》に登場《とうじょう》したゼットンが吐《は》く「1兆《ちょう》℃の火《ひ》の玉《たま》」だった(これは『ジュニア空想科学読本《くうそうかがくどくほん》③』で詳《くわ》しく研究《けんきゅう》しました。P117を読《よ》もう。⬆宣伝《せんでん》)。

この研究《けんきゅう》で、身長《しんちょう》60m、体重《たいじゅう》3万《まん》tのゼットンが吐《は》く火《ひ》の玉《たま》は、あまりに超高温《ちょうこうおん》のため、猛烈《もうれつ》な光《ひかり》を放《はな》つことが明《あき》らかになった。それでも、光《ひかり》の強《つよ》さは1800000000000000000000000000000000000(0が37個《こ》)kW《キロワット》。それに対して、体長《たいちょう》1・2m、体重《たいじゅう》22・5kgのランターンが放《はな》つ光《ひかり》は、ゼットンの火《ひ》の玉《たま》を57桁《けた》も上回《うわまわ》っている! もう比《くら》べ物《もの》にならないほど強《つよ》いのだ! そんなバカな!

◆わ〜、宇宙《うちゅう》が滅亡《めつぼう》します〜

ランターンが発《はっ》する、すさまじいまでの灼光《しゃっこう》。人間《にんげん》がこれを直接目《ちょくせつめ》で見《み》たら、どれほど眩《まぶ》しいだろうか? などと心配《しんぱい》になるが、いやいや、眩《まぶ》しいどころの騒《さわ》ぎではない。

ランターンの光《ひかり》が、深海《しんかい》5千《せん》mから海面上《かいめんじょう》に届《とど》くまでに1000……(0が100個《こ》)分の1に

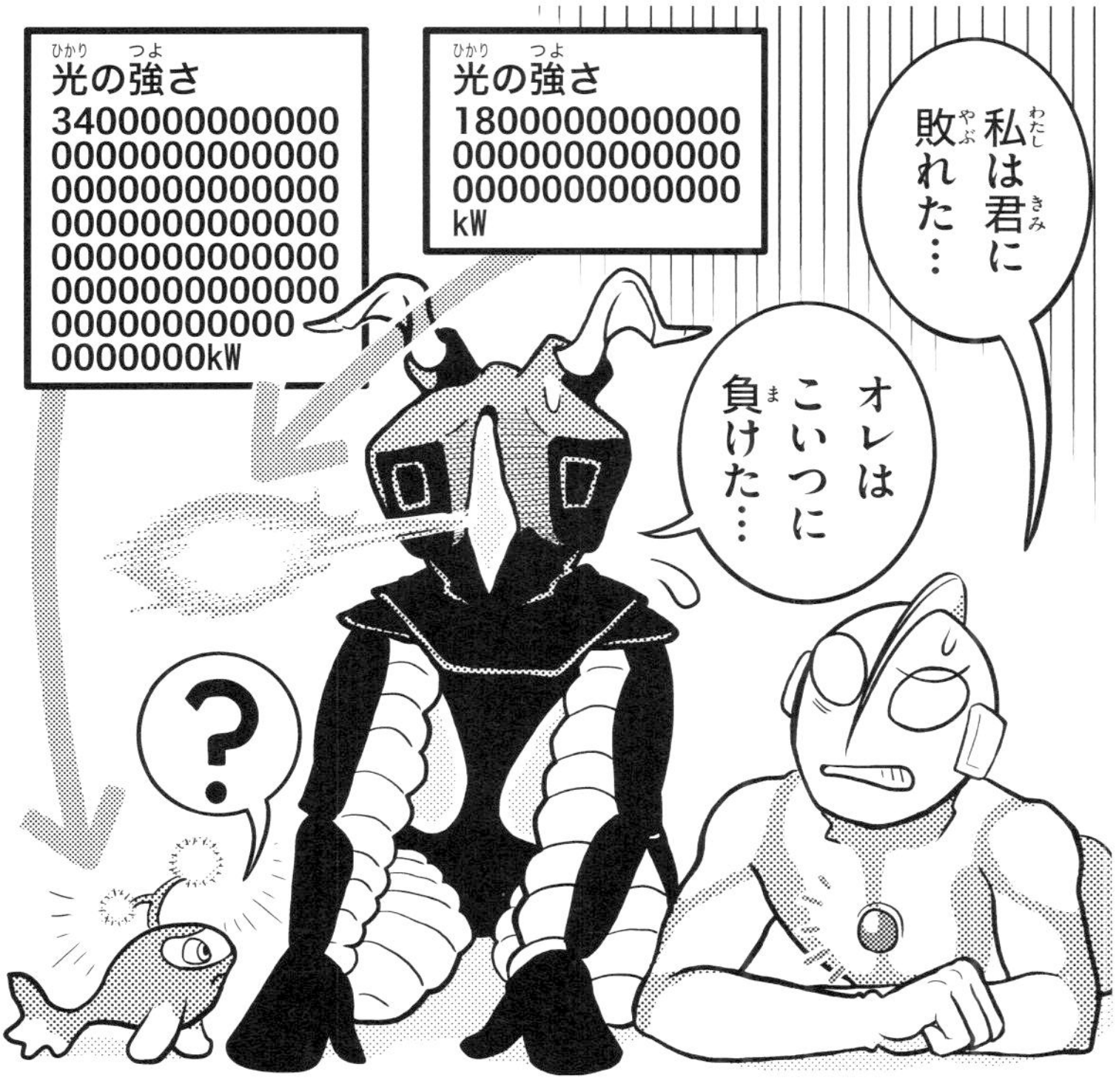

まで弱《よわ》くなるということは、そのエネルギーはほとんど海水《かいすい》に吸収《きゅうしゅう》されるということだ。ここで吸収《きゅうしゅう》されたエネルギーは、どうなるのだろう？

答《こた》えは「熱《ねつ》に変《か》わる」。つまり、全宇宙《ぜんうちゅう》の星《ほし》が放《はな》つ光《ひかり》の９０００……（０が49個《こ》）倍《ばい》もの光《ひかり》のエネルギーが、ほぼまるまる、熱《ねつ》に変換《へんかん》されてしまうのだ。

そんな熱《ねつ》を受《う》けたら、地球《ちきゅう》の海《うみ》など一瞬《いっしゅん》で蒸発《じょうはつ》する。いや、地球《ちきゅう》さえ瞬時《しゅんじ》に蒸発《じょうはつ》する。あなたも私《わたし》も電光石火《でんこうせっか》で蒸発《じょうはつ》。幸《こう》か不幸《ふこう》か「うわ、眩《まぶ》しい」などと思《おも》うヒマもない。

そして、もしランターン自身《じしん》が蒸発《じょうはつ》しないとすれば、このライトポケモンだけが宇宙《うちゅう》に取《と》り残《のこ》されることになる。「目《め》をくらませ、動《うご》けない間《あいだ》にまるのみに」しようとした相手《あいて》も、もちろん、もういない。

すべてが蒸発《じょうはつ》したのだから、海水《かいすい》などのランターンの光《ひかり》を遮《さえぎ》るものはなくなって、それは全宇《ぜんう》宙《ちゅう》に向《む》かって放出《ほうしゅつ》される。これほど強烈《きょうれつ》な光《ひかり》は、そのほとんどが生物《せいぶつ》に有害《ゆうがい》なγ線《ガンマせん》になる。放出《ほうしゅつ》されるγ線《ガンマせん》によって生物《せいぶつ》が死滅《しめつ》する範囲《はんい》は、ゼットンの場合《ばあい》は半径《はんけい》90光年《こうねん》だったが、ランターンの場合《ばあい》はそんなレベルでは済《す》まない。40000000000000000000000000000000(0が30個《こ》)光年《こうねん》!

なんと、いま考《かんが》えられている宇宙《うちゅう》の半径《はんけい》を20桁《けた》もオーバーしてしまう! ということは、全宇《ぜんう》宙《ちゅう》が滅亡《めつぼう》! え〰〰〰〰〰〰〰〰〰〰〰〰〰〰〰〰〰〰〰〰〰〰〰〰っ!?

こんな恐《おそ》ろしいキャラクターが、どちらかというとマイナーな存在《そんざい》だとは……。ポケモンの世《せ》界《かい》は、深海《しんかい》のように深《ふか》い。あまりに魅力的《みりょくてき》であり、いっぱい研究《けんきゅう》してみたいなあ。

『アイカツ！』のフィッティングルームは、どんな仕組《しく》みですか？

「芸能人《げいのうじん》はカードが命《いのち》」という『アイカツ！』のキャッチコピーを聞《き》いたときは「なんのこっちや!?」と思《おも》ったのだが、ゲームの仕組《しく》みを知《し》るとナットクである。カードを使《つか》ってステージ衣装《いしょう》を選《えら》び、自分自身《じぶんじしん》をプロデュース。さまざまなオーディションを勝《か》ち抜《ぬ》いて、ファンを増《ふ》やし、アイドルとして登《のぼ》り詰《つ》めていく。まことに楽《たの》しそうで、筆者《ひっしゃ》もついアイドル活動《かつどう》を始《はじ》めたくなりましたぞ。

このゲームの世界観《せかいかん》を一《ひと》つの物語《ものがたり》にしたのが、アニメの『アイカツ！』だ。初代《しょだい》の主人公《しゅじんこう》は、星宮《ほしみや》いちご。アイドルを養成《ようせい》するスターライト学園《がくえん》の生徒《せいと》で、仲間《なかま》とともにアイドルへの階段《かいだん》を登《のぼ》っていく。

アニメ版《ばん》でも、いちごたちアイドル予備軍《よびぐん》はやはりカードを持《も》っていて、ゲームと同《おな》じように「トップス」「ボトムス」「シューズ」「アクセサリー」の4アイテムを自分《じぶん》で選《えら》ぶ。そして、舞台《ぶたい》につながるところに「フィッティングルーム」という装置《そうち》があって、その入口《いりぐち》で4アイテムのカードをセットする。入口《いりぐち》が開《ひら》くと、内部《ないぶ》には推定《すいてい》10mほどの廊下《ろうか》があり、いつの間《ま》にそうなったのか謎《なぞ》なのだが、いちごたちは裸《はだか》で駆《か》けていく。シルエットなので、裸《はだか》っぽく見《み》えるだけかもしれませんが。

そして、その先《さき》にある光《ひかり》の扉《とびら》に飛《と》び込《こ》むと、カードに描《えが》かれていた衣装《いしょう》が次々《つぎつぎ》に装着《そうちゃく》される。走《はし》りながらそれらのステージ衣装《いしょう》を身《み》に着《つ》けた彼女《かのじょ》たちは、そのまま舞台《ぶたい》に飛《と》び出《だ》して、歌《うた》い、踊《おど》るのだ。

すごいな、フィッティングルーム！　事前《じぜん》に選《えら》んでおいた衣装《いしょう》を、走《はし》るうちに自動的《じどうてき》に着《き》せてもらえるわけで、便利《べんり》といえば便利《べんり》、横着《おうちゃく》といえばかなり横着《おうちゃく》な装置《そうち》である。自分《じぶん》で着替《きが》えんかい！という気《き》もするが、まあ、走《はし》りながら衣装《いしょう》を着《き》られたら、確《たし》かにテンションはぐーんと上《あ》がるかもしれません。

ではこの装置《そうち》、いったいどんな仕組《しく》みなのだろう？

◆大丈夫《だいじょうぶ》か、スターライト学園《がくえん》!?

第《だい》1シリーズ第《だい》1話《わ》で、星宮《ほしみや》いちごがフィッティングルームを駆《か》け抜《ぬ》けるシーンに注目《ちゅうもく》しよう。いちごが推定《すいてい》10mほど走《はし》って、光《ひかり》の扉《とびら》に飛《と》び込《こ》むと、上半身《じょうはんしん》が光《ひかり》に包《つつ》まれ、その光《ひかり》が消失《しょうしつ》すると、ベストが着《き》せられている。続《つづ》いて腰《こし》が光《ひかり》に包《つつ》まれて、たちまちスカートが出現《しゅつげん》。さらに足《あし》が光《ひか》って、靴《くつ》が足《あし》を包《つつ》み込《こ》む……。

ここから考《かんが》えられるシステムとはどういうものだろうか。

筆者《ひっしゃ》が想像《そうぞう》するに、アイカツカードをセットすると、衣装《いしょう》のデータがフィッティングルームに伝《つた》えられるのだろう。ここまでは現在《げんざい》の技術《ぎじゅつ》でも可能《かのう》だが、最終的《さいしゅうてき》には本物《ほんもの》の衣装《いしょう》を用意《ようい》しなければならない。これがムズカシイところである。

画面《がめん》の印象《いんしょう》では、体《からだ》を包《つつ》んだ光《ひかり》が衣装《いしょう》に変《か》わっているように見《み》える。光《ひかり》を物質《ぶっしつ》に変《か》えることは理論的《りろんてき》に可能《かのう》であり、ごくわずかな量《りょう》ながら実験《じっけん》も成功《せいこう》している。フィッティングルームは、この方法《ほうほう》を使《つか》っているのだろうか。

しかし光《ひかり》を物質《ぶっしつ》に変《か》えるには、莫大《ばくだい》なエネルギーが必要《ひつよう》だ。衣装《いしょう》が合計《ごうけい》1kgなら、これを作《つく》るのに必要《ひつよう》な光《ひかり》のエネルギーは、電力量《でんりょくりょう》に換算《かんさん》して500億《おく》kW《キロワット》時《じ》。え？　それがどのくらいか、わからない？　筆者《ひっしゃ》も実感《じっかん》できないので、500億《おく》kW《キロワット》時《じ》の電気代《でんきだい》を算出《さんしゅつ》してみると、むっひょ

〜っ！　夜間《やかん》の安《やす》い電気《でんき》を蓄《たくわ》えたとしても、７５００億円《おくえん》だあ！

どんな大《だい》スターであろうと、着替《きが》えるたびに７５００億円《おくえん》も使《つか》っていたら、破産《はさん》してしまうだろう。いちごの場合《ばあい》は、彼女《かのじょ》をプロデュースしているスターライト学園《がくえん》が、ただちに倒産《とうさん》すると思《おも》われます。

◆どうやって着《き》せるのか？

光《ひかり》ではなく、衣装《いしょう》を空気《くうき》から作《つく》っている可能性《かのうせい》はないのだろうか。

木綿《もめん》や化学繊維《かがくせんい》は炭素《たんそ》、酸素《さんそ》、水素《すいそ》からできている。これらは空気中《くうきちゅう》にも含《ふく》まれているから、空気《くうき》から服《ふく》を作《つく》ることも、理論的《りろんてき》には可能《かのう》ということだ。もちろん、これにもエネルギーは必要《ひつよう》だが、それは４・６kW時《キロワットじ》。電気料金《でんきりょうきん》に換算《かんさん》すると、たったの70円《えん》。うおっ、いきなり安《やす》い！

ただし、これで作《つく》れるのは木綿《もめん》やアクリルなどの生地《きじ》だけであり、ステージ衣装《いしょう》に仕上《しあ》げるには、染織《せんしょく》、裁断《さいだん》、縫製《ほうせい》などを行《おこな》う必要《ひつよう》がある。いちごが10m走《はし》るうちに、生地《きじ》を染《そ》め、型紙《かたがみ》どおりに切《き》って、それを糸《いと》で縫《ぬ》い合《あ》わせ……なんてコトができるかい！

そう考《かんが》えると、衣装《いしょう》ははじめからフィッティングルームのどこかに保管《ほかん》されている、と考《かんが》えたほうが現実的《げんじつてき》ではないだろうか。カードのデータを受信《じゅしん》して、保管庫《ほかんこ》の衣装《いしょう》が疾走中《しっそうちゅう》のいちごに

届《とど》けられる、とか。
　が、その場合《ばあい》は、走《はし》っているいちごに、どうやってベストやスカートを着《き》せるのか、という問題《もんだい》が残《のこ》る。いくつかのパーツに分《わ》かれた衣装《いしょう》が、前後左右《ぜんごさゆう》からいちごを包《つつ》み込《こ》んで、マジックテープみたいなもので留《と》めるのか。あるいは、この道《みち》30年《ねん》の熟練《じゅくれん》の職人《しょくにん》が、いちごの横《よこ》を走《はし》りながら、奇跡《きせき》のテクニックで服《ふく》を着《き》せていくのか。
　いやいや、劇中《げきちゅう》の描写《びょうしゃ》を見《み》ると、そんなややこしいことはしていない。う〜ん。どうなってるんだろう？　筆者《ひっしゃ》の想像《そうぞう》を上回《うわまわ》る技術《ぎじゅつ》で、やはり光《ひかり》か空気《くうき》から作《つく》っているのかなあ。

ついでにいえば、それまで着《き》ていたスターライト学園《がくえん》の制服《せいふく》はどうなった？という問題《もんだい》も気《き》になる。前述《ぜんじゅつ》のとおり、シルエットのいちごは全裸《ぜんら》のようにも見《み》える。フィッティングルームに入《はい》る瞬間《しゅんかん》に、制服《せいふく》は脱《ぬ》いでしまうようだが、どんな仕組《しく》みなのだろう？

落《お》ち着《つ》いて考《かんが》えれば、これは意外《いがい》に簡単《かんたん》かもしれない。物質《ぶっしつ》のなかには、光《ひかり》を吸収《きゅうしゅう》すると、分《ぶん》解《かい》するものがある。代表例《だいひょうれい》は光分解性《ひかりぶんかいせい》プラスチックで、現在《げんざい》はまだ高価《こうか》だが、ゴミを減《へ》らすために安《やす》く作《つく》る技術《ぎじゅつ》が研究《けんきゅう》されている。制服《せいふく》を縫《ぬ》い合《あ》わせている糸《いと》が、そのような物質《ぶっしつ》でできていれば、フィッティングルームのなかで、糸《いと》を分解《ぶんかい》する光《ひかり》を当《あ》てることによって、着《き》ていた制服《せいふく》がバラバラになっていく可能性《かのうせい》はある。ただし、バラバラになった制服《せいふく》を、誰《だれ》かがせっせと縫《ぬ》い直《なお》す必要《ひつよう》があるケド……。

う〜ん、非常《ひじょう》に優《すぐ》れたマシンだが、現実的《げんじつてき》に考《かんが》えると「服《ふく》を着《き》る」というのが意外《いがい》に複雑《ふくざつ》な作《さ》業《ぎょう》だということがわかりますな。科学技術《かがくぎじゅつ》がフィッティングルームを実現《じつげん》できる日《ひ》まで、われわれは一《ひと》つ一《ひと》つボタンを留《と》めて、地道《じみち》に着替《きが》えましょう。

とっても気《き》になるマンガの疑問《ぎもん》

『弱虫《よわむし》ペダル』巻島裕介《まきしまゆうすけ》の激《はげ》しいダンシング走法《そうほう》。あれで本当《ほんとう》に速《はや》く走《はし》れますか？

寝《ね》る前《まえ》に『弱虫《よわむし》ペダル』を読《よ》んではいかんなあ。昨日《きのう》も、うっかり1冊《さつ》手《て》に取《と》ったらやめられなくなってしまい、「あと1冊《さつ》だけ、あと1冊《さつ》だけ」を繰《く》り返《かえ》した結果《けっか》、止《と》まらなくなって寝《ね》不《ぶ》足《そく》に……。わ〜ん、意志《いし》の弱《よわ》い自分《じぶん》が悪《わる》いんだけど、面白《おもしろ》すぎる『弱《よわ》ペダ』にも、ちょっとは責《せき》任《にん》があると思《おも》います！

などと作品《さくひん》に八《や》つ当《あ》たりしてないで、本論《ほんろん》に進《すす》みましょう。

このマンガは、オタクの小野田坂道《おのださかみち》が高校《こうこう》で自転車競技部《じてんしゃきょうぎぶ》に入《はい》り、ロードレースで活躍《かつやく》していく物語《ものがたり》だ。レースの駆《か》け引《ひ》きも面白《おもしろ》いが、キャラクターたちが人間味《にんげんみ》たっぷりで、とてもいい。

なかでも魅力的《みりょくてき》なのが、自転車競技部《じてんしゃきょうぎぶ》3年生《ねんせい》の巻島裕介《まきしまゆうすけ》だ。坂道《さかみち》(主人公《しゅじんこう》の名前《なまえ》ではない)を得意《とくい》とする「クライマー」で、同《おな》じクライマーの坂道《さかみち》(主人公《しゅじんこう》の名前《なまえ》)の憧《あこが》れの先輩《せんぱい》でもある。

彼《かれ》は長身《ちょうしん》で髪《かみ》も長《なが》く、いつも眉《まゆ》と目《め》をしかめているのに、口元《くちもと》は笑《わら》っているように見《み》える特異《とくい》な容貌《ようぼう》だ。本人《ほんにん》もこう言《い》う。「オレは人《ひと》に優《やさ》しい言葉《ことば》をかけるのとか　はずむ会話《かいわ》っつーのが一番苦手《いちばんにがて》」で、「やっぱオレは　自転車《じてんしゃ》でしか会話《かいわ》できねェ」。だが、本当《ほんとう》は仲間思《なかまおも》いの、とてもいいヤツなのだ。

その巻島先輩《まきしませんぱい》が、坂道《さかみち》を登《のぼ》るときに披露《ひろう》するテクニックがある。サドルから腰《こし》を浮《う》かせて自転車《じてんしゃ》を左右《さゆう》に倒《たお》しながら漕《こ》ぐ「ダンシング」という走法《そうほう》。普通《ふつう》の人《ひと》も急《いそ》ぐときや坂《さか》を登《のぼ》るときにやる「立《た》ち漕《こ》ぎ」だが、自転車競技《じてんしゃきょうぎ》では定番《ていばん》テクニックのひとつとされている。

しかし、巻島先輩《まきしませんぱい》のそれはものすごく極端《きょくたん》。長《なが》くて細《ほそ》い手足《てあし》を活《い》かし、ほとんど真横《まよこ》に倒《たお》れそうなほど、自転車《じてんしゃ》を傾《かたむ》けるのだ。

見《み》ているほうは、いまにも転《ころ》びそうでハラハラするが、巻島先輩《まきしませんぱい》は、そんな心配《しんぱい》など、どこ吹《ふ》く風《かぜ》。自転車《じてんしゃ》を左右《さゆう》にぶんぶん振《ふ》り回《まわ》しながら、登《のぼ》り坂《ざか》をがんがん登《のぼ》っていく。

巻島先輩《まきしませんぱい》は自《みずか》ら言《い》う。「オレのダンシングは特殊《とくしゅ》　オレのダンシングは完全自己流《かんぜんじこりゅう》」「だが速《はや》い!!　ついたアダ名《な》は　頂上《ピーク》の…蜘蛛男《スパイダー》!!」。

うひょ〜っ。あまりにカッコいいので考《かんが》えよう。このインパクト満点《まんてん》の走《はし》り方《かた》は、登《のぼ》り坂《ざか》を走《はし》るのにどれほど有利《ゆうり》なのか？

◆その体勢《たいせい》はマズイと思《おも》う

『ロードバイクの科学《かがく》』（ふじいのりあき／スキージャーナル）という本《ほん》に、ダンシングするプロの自転車選手《じてんしゃせんしゅ》の写真《しゃしん》が載《の》っている。分度器《ぶんどき》を当《あ》てて測《はか》ると、自転車《じてんしゃ》は13度《ど》傾《かたむ》いている。現実《げんじつ》のダンシング走法《そうほう》では、自転車《じてんしゃ》をこのくらい傾《かたむ》けるのだろう。

だが『弱《よわ》ペダ』の巻島先輩《まきしませんぱい》の倒《たお》し方《かた》は、そんなレベルではない！　筆者《ひっしゃ》が探《さが》した限《かぎ》り、最大《さいだい》に倒《たお》しているのはコミックス12巻《かん》P92の1コマで、傾《かたむ》きはなんと54度《ど》。タイヤの直径《ちょっけい》を一般的《いっぱんてき》な競技用自転車《ぎょうようじてんしゃ》の70㎝として計算《けいさん》すると、倒《たお》した側《がわ》のハンドルのいちばん下《した》は、地面《じめん》から30㎝しか離《はな》れていないことになる！

これは、いくらなんでも倒《たお》しすぎではないだろうか。

『ロードバイクの科学《かがく》』によれば、ダンシングの利点《りてん》は、サドルに座《すわ》ったままペダルを漕《こ》ぐよりも、ペダルに体重《たいじゅう》をかけられることだという。これは感覚的《かんかくてき》にも納得《なっとく》できるし、その利点《りてん》は、巻《まき》島先輩《しませんぱい》も活用《かつよう》しているように思《おも》われる。

問題《もんだい》は、ここまで自転車《じてんしゃ》を傾《かたむ》けて、倒《たお》れないのかということだ。あなたが立《た》ち漕《こ》ぎするときを思《おも》い出《だ》してほしい。左足《ひだりあし》でペダルを踏《ふ》むときは、体《からだ》を左側《ひだりがわ》に動《うご》かすと同時《どうじ》に、自然《しぜん》に自転車《じてんしゃ》を右《みぎ》に傾《かたむ》けるだろう。自転車《じてんしゃ》に乗《の》る人《ひと》は、そうやって無意識《むいしき》にバランスを取《と》っている。

倒《たお》れないためのポイントは「タイヤと地面《じめん》の接触点《せっしょくてん》」に対《たい》して、体《からだ》と自転車《じてんしゃ》が反対側《はんたいがわ》にあることだ。ヤジロベエの2つのおもりが、支点《してん》をはさんで反対側《はんたいがわ》についているのと同《おな》じだ。

ところが、傾斜《けいしゃ》54度《ど》の巻島先輩《まきしませんぱい》のダンシングを描《えが》いた左《ひだり》ページのイラストを見《み》てほしい。先輩《せんぱい》は、自転車《じてんしゃ》を向《む》かって左《ひだり》(巻島先輩《まきしませんぱい》から見《み》れば右《みぎ》)に傾《かたむ》けすぎているために、体《からだ》と自転車《じてんしゃ》が「タイヤと地面《じめん》の接触点《せっしょくてん》」に対《たい》して、両方《りょうほう》とも左《ひだり》に来《き》てしまっている。これは、おもりが2つとも支点《してん》の左《ひだり》にあるヤジロベエと同《おな》じ。巻島先輩《まきしませんぱい》も、一瞬《いっしゅん》も持《も》ちこたえられず、倒《たお》れてしまう!

◆人《ひと》より長《なが》く走《はし》っている!?

まずい。カッコいいと思《おも》った巻島先輩《まきしませんぱい》のスーパーダンシングが、まさかの転倒《てんとう》、落車《らくしゃ》という話《はなし》になってきた。いったいどうすればいいのだろう?

実《じつ》は、巻島先輩《まきしませんぱい》がこの体勢《たいせい》になっても、転倒《てんとう》しないケースがひとつだけある。それは、カーブしているときだ!

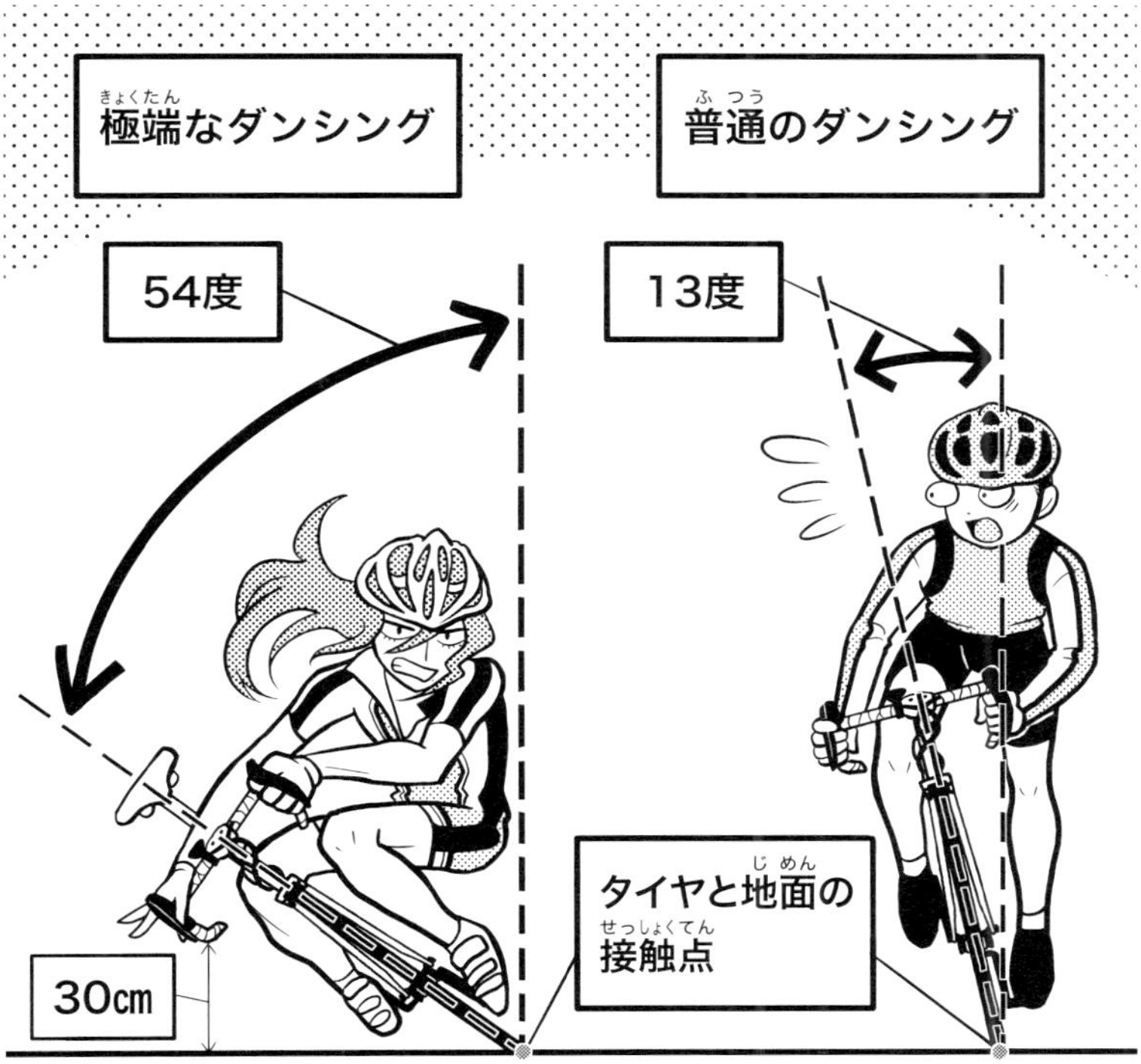

自転車《じてんしゃ》で右《みぎ》にカーブするとき、誰《だれ》でもハンドルを右《みぎ》に切《き》ると同《どう》時《じ》に、体《からだ》と自転車《じてんしゃ》を右《みぎ》に傾《かたむ》けるだろう。この瞬間《しゅんかん》、体《からだ》と自転車《じてんしゃ》は、両方《りょうほう》とも「タイヤと地面《じめん》の接触点《せっしょくてん》」の右側《みぎがわ》に来《き》ているが、自転車《じてんしゃ》は倒《たお》れない。これは、右《みぎ》にカーブするときは、左向《ひだりむ》きに遠心力《えんしんりょく》が働《はたら》いているからだ。体《からだ》と自転車《じてんしゃ》を右《みぎ》に倒《たお》そうとする重《じゅう》力《りょく》と、左《ひだり》に起《お》こそうとする遠心《えんしん》力《りょく》が釣《つ》り合《あ》っているおかげで、自転車《じてんしゃ》は一定《いってい》の傾《かたむ》きのまま、倒《たお》れずに進《すす》んでいけるのだ。

つまり、このままでは向《む》かっ

て左側《ひだりがわ》にガシャン！と倒《たお》れてしまいそうな巻島先輩《まきしませんぱい》も「実《じつ》はいま、向《む》かって左《ひだり》にカーブ中《ちゅう》！」だとしたら、倒《たお》れないことになる。重力《じゅうりょく》と遠心力《えんしんりょく》が釣《つ》り合《あ》って、とっても安定《あんてい》して走《はし》っている……はず。

だが、ダンシングは、自転車《じてんしゃ》を右《みぎ》、左《ひだり》、右《みぎ》、左《ひだり》と、交互《こうご》に傾《かたむ》けながら走《はし》る走法《そうほう》である。「傾斜《けいしゃ》54度《ど》の巻島先輩《まきしませんぱい》はカーブ中《ちゅう》」という筆者《ひっしゃ》の推測《すいそく》が正《ただ》しければ、先輩《せんぱい》はこの直後《ちょくご》、自転車《じてんしゃ》を大《おお》きく反対側《はんたいがわ》へ傾《かたむ》けるはず。つまり彼《かれ》は、たとえコースがまっすぐでも、右《みぎ》へ左《ひだり》へとウネりながら進《すす》んでいくことになる。

そんな乗《の》り方《かた》は大変《たいへん》だし、そもそもムダに長《なが》く走《はし》ることになるのでは!?

計算《けいさん》してみよう。巻島先輩《まきしませんぱい》が、時速《じそく》25㎞で走《はし》っていると仮定《かてい》する。これは、一般的《いっぱんてき》なクライマーが坂道《さかみち》を登《のぼ》るときの速度《そくど》だ。また、１分間《ぷんかん》あたりにペダルをまわす回数《かいすう》を、これもクライマーの平均《へいきん》に近《ちか》い30回《かい》としよう。これで54度《ど》の傾《かたむ》きを保《たも》っているとしたら、巻島先輩《まきしませんぱい》は左右《さゆう》１ｍ56㎝の幅《はば》で、ウネウネ蛇行《だこう》しつつ走《はし》っていることに……。

こんなに大《おお》きくウネっていたら、同《おな》じ距離《きょり》だけ前進《ぜんしん》するのに、どれだけ余計《よけい》に走《はし》らなければならないのか。右《みぎ》の条件《じょうけん》から計算《けいさん》すると、巻島先輩《まきしませんぱい》がペダルをひと漕《こ》ぎするごとに、自転車《じてんしゃ》は６・９ｍ走《はし》ることになる。ところがウネウネ走《はし》っているために、実際《じっさい》に前進《ぜんしん》できる距離《きょり》は５・９ｍ。

なんと、ひと漕《こ》ぎごとに１mものロスをしてしまうのだ。比率《ひりつ》でいえば18％であり、これは１０0㎞のレースで、自分《じぶん》だけ１１８㎞走《はし》るという大《おお》ムダになる！

それでも巻島先輩《まきしませんぱい》はライバルたちに負《ま》けないスピードで走《はし》れるのだから、ものすごい実力《じつりょく》の持《も》ち主《ぬし》ということだ。科学的《かがくてき》に考《かんが》えれば、あの極端《きょくたん》なダンシングを使《つか》わなければ、もっと速《はや》く走《はし》れそうだが……いやいや、やっぱり巻島先輩《まきしませんぱい》は独自《どくじ》のスタイルを貫《つらぬ》いてほしい。そして、どうか先《せん》輩《ぱい》が本書《ほんしょ》を読《よ》むことがありませんように〜。

とっても気《き》になるキャラの疑問《ぎもん》

ふなっしーは「梨《なし》の妖精《ようせい》」だそうですが、本当《ほんとう》でしょうか？

『現代《げんだい》カタカナ語辞典《ごじてん》』(旺文社《おうぶんしゃ》)で「ゆるキャラ」を引《ひ》くと「人《ひと》の心《こころ》を和《なご》ませるようなゆるいキャラクターの人形《にんぎょう》やぬいぐるみ、着《き》ぐるみ」とある。なるほど、和《なご》んでこそゆるキャラか〜。

すると、ふなっしーはどうなるのだろう？

千葉県船橋市《ちばけんふなばしし》に公認《こうにん》されなかった梨《なし》の妖精《ようせい》。いつもハイテンションで、甲高《かんだか》い声《こえ》で「ヒャッハー！」と叫《さけ》ぶ。驚《おどろ》くほど高《たか》く跳《と》んだり、速《はや》く走《はし》ったりして、しまいには「梨汁《なしじる》ブシャー！」。落《お》ち着《つ》きというものが、まるでない。その一方《いっぽう》で、食《た》べ物《もの》を勧《すす》められると「イリュージョン！」と言《い》いつつ、背中《せなか》のどこからか食《た》べたりするし、和《なご》むどころか、怪《あや》しさ満点《まんてん》のゆるキャラだ。

なのに筆者《ひっしゃ》は、ふなっしーのことが気《き》になって仕方《しかた》がない。アタマでは「これでも、ゆるキャラか」と思《おも》うのに、ココロでは「それでも、目《め》が離《はな》せない」と思《おも》ってしまうのである。ああ、不《ふ》思議《しぎ》だ……。

ふなっしーについて、科学的《かがくてき》に考《かんが》えてみよう。彼《かれ》は本当《ほんとう》に梨《なし》の妖精《ようせい》なのだろうか？

◆動物《どうぶつ》としか思《おも》えない！

ふなっしーが梨《なし》の妖精《ようせい》だという話《はなし》は、筆者《ひっしゃ》はとっても怪《あや》しいとニランでいる。ところが、ふなっしー自身《じしん》は、自分《じぶん》がどんな梨《なし》であるかについて、さまざまに説明《せつめい》している。

「本名《ほんみょう》　フナディウス4世《せい》」。おお、まことに立派《りっぱ》な名前《なまえ》の持《も》ち主《ぬし》である。

「誕生日《たんじょうび》　西暦《せいれき》1388年《ねん》7月《がつ》4日《か》」。ということは、本書発行《ほんしょはっこう》の2017年《ねん》で、1879歳《さい》!?

「両親《りょうしん》　普通《ふつう》の梨《なし》の木《き》」。ふーむ、普通《ふつう》の梨《なし》の木《き》から生《う》まれたのなら、間違《まちが》いなく梨《なし》ということになるが……。

「兄弟《きょうだい》　274人《にん》(ふなっしーは4男《なん》)」。1本《ぽん》の梨《なし》の木《き》には、200個《こ》から400個《こ》の実《み》がなるから、まことに梨《なし》らしい。やっぱり梨《なし》の妖精《ようせい》なのだろうか。

だが、ふなっしーはこうも言《い》っている。「虚言癖《きょげんへき》があり、言《い》っていることの27・4％が嘘《うそ》」。えっ、嘘《うそ》が混《ま》じってるの!? しかも、嘘《うそ》の割合《わりあい》まで「274《ふなっしー》」!? いや、もうその数字《すうじ》自体《じたい》がアヤシサに満《み》ちている！

こうなると何《なに》を信《しん》じていいかわからないので、言葉《ことば》ではなく、その行動《こうどう》を観察《かんさつ》してみよう。

歩《ある》き回《まわ》る！ 高々《たかだか》とジャンプする！ しかもそれは、最高点《さいこうてん》でもう一度《いちど》ジャンプする2段《だん》ジャンプ！ しゃべる！「ヒャッハー！」と叫《さけ》ぶ！ 果《は》ては「イリュージョン！」でモノを食《た》べる！

う〜む。これらは、どう考《かんが》えても梨《なし》ではなく、動物《どうぶつ》の特徴《とくちょう》である。

◆梨《なし》を作《つく》るのはとっても大変《たいへん》！

そもそも、梨《なし》とはいかなる植物《しょくぶつ》なのだろうか。

梨《なし》はバラ科《か》の植物《しょくぶつ》だ。バラ科《か》には、リンゴ、モモ、スモモ、ビワ、カリン、ウメ、アンズ、イチゴ、キイチゴ、アーモンド、サンザシなど、おいしい果物《くだもの》のなる植物《しょくぶつ》がたくさんある。バラをはじめ、サクラ、ヤマブキ、ユキヤナギなど、きれいな花《はな》を咲《さ》かせるものも多《おお》い。ふなっしーが梨《なし》の妖精《ようせい》だとしたら、意外《いがい》にもこれらの仲間《なかま》ということになる。

また、梨《なし》は生物学的《せいぶつがくてき》にも興味深《きょうみぶか》い植物《しょくぶつ》だ。果実《かじつ》は、おしべの花粉《かふん》がめしべにつくことで作《つく》られるが、多《おお》くの植物《しょくぶつ》は、同《おな》じ花《はな》の花粉《かふん》がめしべについても果実《かじつ》はできない。同《おな》じ草花《くさばな》のおしべとめしべは同《おな》じ遺伝子《いでんし》を持《も》っているから、もしその遺伝子《いでんし》に、生《い》きていくのに不便《ふべん》な要素《ようそ》が含《ふく》まれていたら、生《い》きる力《ちから》の弱《よわ》い子《こ》どもが生《う》まれてしまう。これを防《ふせ》ぐため、多《おお》くの植物《しょくぶつ》には、同《おな》じ種類《しゅるい》の別《べつ》の草木《くさき》の花粉《かふん》がめしべについた場合《ばあい》だけ、果実《かじつ》ができる仕組《しく》みが備《そな》わっている。

梨《なし》の場合《ばあい》は、この仕組《しく》みが徹底《てってい》している。梨《なし》には「豊水《ほうすい》」「幸水《こうすい》」「二十世紀《にじっせいき》」など、たくさんの品種《ひんしゅ》があるが、いずれも同《おな》じ品種《ひんしゅ》だと、別《べつ》の木《き》の花粉《かふん》でも果実《かじつ》はできない！

このため梨《なし》を栽培《さいばい》する農家《のうか》では、筆《ふで》を使《つか》ってひとつひとつ、別《べつ》の品種《ひんしゅ》の花粉《かふん》をめしべにまぶしたり、別《べつ》の品種《ひんしゅ》から花粉《かふん》を運《はこ》ばせるためのハチを飼《か》ったりしている。1個《こ》の梨《なし》が実《みの》るには、大変《たいへん》な手間《てま》がかかるのである。

これほどの苦労《くろう》の果《は》てに生《う》まれたふなっしーが、まるで梨《なし》らしくない……。なかなか由々《ゆゆ》しき事態《じたい》ではないか。

◆ふなっしーの88％は梨汁《なしじる》だ！

筆者《ひっしゃ》が思《おも》うに、ふなっしーでいちばん梨《なし》らしいのは、顔《かお》の色《いろ》がそれっぽいこと。そしてもう一《ひと》つ挙《あ》げるなら「梨汁《なしじる》ブシャー！」であろう。

嬉《うれ》しいときや怒《おこ》ったときなど、華麗《かれい》な2段《だん》ジャンプとともに、ふなっしーは「梨汁《なしじる》ブシャー！」

を見舞《みま》う。目《め》には見《み》えないが、おそらくその全身《ぜんしん》から、梨《なし》の果汁《かじゅう》が飛《と》び散《ち》っているのだろう。文部科学省《もんぶかがくしょう》が発表《はっぴょう》している「五訂増補日本食品標準成分表《ごていぞうほにほんしょくひんひょうじゅんせいぶんひょう》」によれば、梨《なし》の水分《すいぶん》は88%。ふなっしーの体重《たいじゅう》は35kgというから、実《じつ》に31kgは梨汁《なしじる》なのだ。

とはいえ、梨《なし》の果実《かじつ》がみずみずしいのは、木《き》が根《ね》から吸《す》い上《あ》げた水分《すいぶん》が、幹《みき》や枝《えだ》を通《とお》って運《はこ》ばれ、果実《かじつ》にたまっているからこそ。ところが、現在《げんざい》のふなっしーは枝《えだ》から離《はな》れ、全国《ぜんこく》を飛《と》び回《まわ》っている。これでは「梨汁《なしじる》ブシャー！」をやるたびに、体内《たいない》の梨汁《なしじる》は減《へ》る一方《いっぽう》だ。「ブシャー！」というからには、1回《かい》あたり1L《リットル》ほどは梨汁《なしじる》を撒《ま》き散《ち》らすのではないだろうか。すると、生涯《しょうがい》に「梨汁《なしじる》ブシャー！」を31回《かい》やったら、完全《かんぜん》に干《ひ》からびてしまう。

——と思《おも》ったら、「イリュージョン！」でときどき背中《せなか》から梨汁《なしじる》を補給《ほきゅう》しているという情報《じょうほう》もあった。なんだそりゃ!? 外部《がいぶ》から梨汁《なしじる》を補給《ほきゅう》して梨汁《なしじる》をブシャーと出《だ》すとしたら、その梨汁《なしじる》はふなっしーの体《からだ》を素通《すどお》りしているだけで、彼《かれ》が生《い》きるのにまったく役《やく》に立《た》っていないことになる。

う〜む、ナゾに満《み》ちた生命体《せいめいたい》だ！

原点《げんてん》に返《かえ》って考《かんが》えれば、ふなっしーが千葉県船橋市《ちばけんふなばしし》で生《う》まれたのは、千葉県《ちばけん》が梨《なし》の生産量《せいさんりょう》で日《に》本一《ほんいち》を誇《ほこ》るからだろう。だが、千葉県《ちばけん》が梨《なし》の生産量《せいさんりょう》で日本一《にほんいち》になったのは2004年《ねん》からで、01年《ねん》までは鳥取県《とっとりけん》が、03年《ねん》までは茨城県《いばらきけん》が日本一《にほんいち》だったのだ。

ふなっしーが西暦《せいれき》１３８年《ねん》生《う》まれだとしたら、千葉県《ちばけん》が日本《にほん》一《いち》になるまでの１８６６年間《ねんかん》、彼《かれ》はどのような思《おも》いで過《す》ごしてきたのだろう？　そこらへんも本人《ほんにん》に聞《き》いてみたいが、ホントのことを言《い》うかどうか怪《あや》しいからなあ。

結局《けっきょく》、ふなっしーがどういうヤツかはわからず、筆者《ひっしゃ》にとっては、謎《なぞ》めいた魅力《みりょく》が増《ま》しただけである。

とっても気《き》になる特撮《とくさつ》の疑問《ぎもん》

ウルトラセブンは一瞬《いっしゅん》で変身《へんしん》し、身長《しんちょう》40mになります。どうやって巨大化《きょだいか》するのですか?

ウルトラ警備隊《けいびたい》のモロボシ・ダンが、ウルトラアイを目《め》に当《あ》てると、たちまち身長《しんちょう》40mのウルトラセブンに変身《へんしん》する!

『ウルトラセブン』の放送当時《ほうそうとうじ》、筆者《ひっしゃ》は6歳《さい》で、この「一瞬《いっしゅん》で巨大《きょだい》なヒーローに変身《へんしん》する」という不思議《ふしぎ》な現象《げんしょう》にモーレツに憧《あこが》れたものである。だからその数年後《すうねんご》、『仮面《かめん》ライダー』が始《はじ》まったときも「変身《へんしん》はいいけど、なぜ巨大化《きょだいか》しないのかなあ!?」と物足《ものた》りなく感《かん》じたものだった。あ。仮面《かめん》ライダーが巨大化《きょだいか》しちゃったら、もうバイクに乗《の》れないから、それも困《こま》るんだけど。

でも、筆者《ひっしゃ》はいまでも心《こころ》のどこかで思《おも》っている。地球《ちきゅう》の平和《へいわ》を守《まも》るヒーローだったら、変身《へんしん》と

同時《どうじ》に巨大化《きょだいか》くらいしていただきたい！

本稿《ほんこう》では、憧《あこが》れのウルトラセブンを例《れい》に、「巨大化《きょだいか》」の科学《かがく》を考《かんが》えてみよう。

◆巨大化《きょだいか》には時間《じかん》がかかる

もし、あなたの目前《もくぜん》で、自転車《じてんしゃ》やランドセルが突如《とつじょ》ムクムク大《おお》きくなったら、ものすごくびっくりするだろう。だが、ヒーローの巨大化《きょだいか》に、そこまでのショックはない。むしろ「やった、いよいよ巨大化《きょだいか》だ！」とココロが躍《おど》るのではないか。この気持《きも》ちの差《さ》は、いったいどこから来《く》るのだろうか？

筆者《ひっしゃ》は思《おも》う。それは彼《かれ》らがモノではなく、生物《せいぶつ》だからではないだろうか。

われわれは、生《う》まれたときは身長《しんちょう》50㎝ぐらいしかなかった。それが15年《ねん》ぐらい経《た》つと、3倍《ばい》を超《こ》えるまでに成長《せいちょう》するのである。つまり、ヒーローも生物《せいぶつ》である以上《いじょう》、成長《せいちょう》していると考《かんが》えれば、その巨大化《きょだいか》も不自然《ふしぜん》ではないといえる。

この前提《ぜんてい》で考《かんが》えてみよう。モロボシ・ダンの体重《たいじゅう》を70㎏とすれば、これが3万《まん》5千《せん》tのウルトラセブンになるのだから、体重《たいじゅう》は50万倍《まんばい》に増《ふ》えるわけだ。

生物《せいぶつ》は、1つの細胞《さいぼう》が2つに分《わ》かれる「細胞分裂《さいぼうぶんれつ》」を繰《く》り返《かえ》して成長《せいちょう》するが、50万倍《まんばい》もの成長《せいちょう》を遂《と》げるには、いったい何回《なんかい》の細胞分裂《さいぼうぶんれつ》が必要《ひつよう》なのか？

驚《おどろ》くなかれ、たったの19回《かい》だ！　１回《かい》の細胞分裂《さいぼうぶんれつ》で体重《たいじゅう》は2倍《ばい》、２回《かい》で4倍《ばい》、３回《かい》で8倍《ばい》、４回《かい》で16倍《ばい》……と増《ふ》えていって、10回《かい》で１０２４倍《ばい》、11回《かい》で２０４８倍《ばい》、12回《かい》で４０９６倍《ばい》、13回《かい》で８１９２倍《ばい》、14回《かい》で1万《まん》６３８４倍《ばい》、15回《かい》で3万《まん》２７６８倍《ばい》、16回《かい》で6万《まん》５５３６倍《ばい》、17回《かい》で13万《まん》１０７２倍《ばい》、18回《かい》で26万《まん》２１４４倍《ばい》、そして、19回《かい》で52万《まん》４２８８倍《ばい》となり、めでたく50万《まん》倍《ばい》を突破《とっぱ》する。

だったら、瞬時《しゅんじ》に巨大化《きょだいか》するのも当然《とうぜん》？という気《き》がするが、そうカンタンな話《はなし》ではない。細胞《さいぼう》分裂《ぶんれつ》には時間《じかん》がかかるのだ。

細胞分裂《さいぼうぶんれつ》がもっとも速《はや》いのは、受精《じゅせい》したばかりの魚《さかな》やカエルの卵《たまご》だが、それでも1回《かい》の分裂《ぶんれつ》に30分《ぷん》かかる。これと同《おな》じスピードで19回《かい》の細胞分裂《さいぼうぶんれつ》をしていった場合《ばあい》、所要時間《しょようじかん》は、なんと9時《じ》間《かん》30分《ぷん》！

これは大変《たいへん》だ。怪獣《かいじゅう》が現《あらわ》れてから巨大化《きょだいか》したのでは間《ま》に合《あ》わない！

モロボシ・ダンは怪獣《かいじゅう》の出現日時《しゅつげんにちじ》を予測《よそく》して、その9時間半前《じかんはんまえ》から巨大化《きょだいか》に取《と》りかかるべきだ！　……って、そんなことができるかなあ。

しかも、ここでいう巨大化《きょだいか》とは、生物《せいぶつ》の成長《せいちょう》と同《おな》じ原理《げんり》なのだから、それには充分《じゅうぶん》な栄養《えいよう》が必《ひつ》

要《よう》なはずだ。具体的《ぐたいてき》には、巨大《きょだい》なプールに水《みず》を張《は》り、必要《ひつよう》な栄《えい》養分《ようぶん》をすべて投入《とうにゅう》して、モロボシ・ダンはそこに飛《と》び込《こ》んで体《たい》内《ない》に養分《ようぶん》を取《と》り入《い》れながら、ひたすら眠《ねむ》るべきだろう。

もちろん、これには莫大《ばくだい》な栄《えい》養分《ようぶん》が必要《ひつよう》だ。ウルトラセブンは体重《たいじゅう》が3万《まん》5千《せん》tもあるのだから、ここまで成長《せいちょう》するための栄養分《えいようぶん》は、牛《うし》に換算《かんさん》して550万頭分《まんとうぶん》！　日本《にほん》で飼育《しいく》されている肉牛《にくぎゅう》は260万頭《まんとう》だから、ウルトラセブンが1回《かい》の変身《へんしん》・巨《きょ》大化《だいか》をするだけで、ニッポンの肉牛《にくぎゅう》は絶滅《ぜつめつ》してしまう！

もし予測《よそく》が外《はず》れて、9時間半経《じかんはんた》つ前《まえ》に怪獣《かいじゅう》が現《あらわ》れたとしても、決《けっ》して出《で》て行《い》ってはならない。まだ体《からだ》は小《ちい》さいし、分裂中《ぶんれつちゅう》の細胞《さいぼう》は傷《きず》つきやすいからだ。焦《あせ》って戦《たたか》いに行《い》っても、ボコボコにやられるだけだろう。

こうなってくると、ウルトラ警備隊《けいびたい》は怪獣《かいじゅう》と戦《たたか》っている場合《ばあい》ではない。蹂躪《じゅうりん》される街《まち》を放《ほう》っておいてでも、変身中《へんしんちゅう》のウルトラセブンが眠《ねむ》るこのプールを最優先《さいゆうせん》で守《まも》っていただきたい。

◆セブンの変身《へんしん》で地球滅亡《ちきゅうめつぼう》！

わけのわからない話《はなし》になってきたが、生物《せいぶつ》の成長《せいちょう》と同《おな》じ原理《げんり》で巨大化《きょだいか》するとこうなる、という話《はなし》である。もちろん、劇中《げきちゅう》のウルトラセブンの変身《へんしん》は、つつがなく瞬時《しゅんじ》に行《おこな》われている。

これはどういうことだろう？　たとえば、ウルトラの星《ほし》から、ビームなどでエネルギーを送《おく》ってもらっている……といった可能性《かのうせい》もあるのだろうか。

アインシュタインの相対性理論《そうたいせいりろん》によれば、物質《ぶっしつ》がエネルギーに変《か》わることもあれば、逆《ぎゃく》に、エネルギーが物質《ぶっしつ》に変《か》わることもある。もしもモロボシ・ダンが、ウルトラの星《ほし》から仕送《しおく》りしてもらったエネルギーを物質《ぶっしつ》に変《か》えて、体重《たいじゅう》3万《まん》5千《せん》tへの巨大化《きょだいか》を果《は》たしているとしたら？

物質《ぶっしつ》がエネルギーに変《か》わると、すさまじいものになる。たとえば、1gの物質《ぶっしつ》がすべてエネルギーに変《か》わるとき、放《はな》たれるエネルギーはガソリン4千《せん》t分《ぶん》だ。

それはスゴイ！　などと喜《よろこ》んでいる場合《ばあい》ではない。いま考《かんが》えているのは、その逆《ぎゃく》の、エネルギーから物質《ぶっしつ》を作《つく》る過程《かてい》。つまり、ウルトラセブンの巨大化《きょだいか》には莫大《ばくだい》なエネルギーが必要《ひつよう》ということだ。具体的《ぐたいてき》に計算《けいさん》してみると、ビキニ水爆《すいばく》（1954年《ねん》3月1日《がっついたち》にアメリカがビキニ環礁《かんしょう》で行《おこな》った水爆実験《すいばくじっけん》）1億発分《おくはつぶん》が必要《ひつよう》になる！

それほどのエネルギーを持《も》ったビームが、うまくモロボシ・ダンに当《あ》たればいい。だが、ウルトラの星《ほし》は地球《ちきゅう》から300万光年《まんこうねん》も離《はな》れた距離《きょり》にあるという。こんなに遠《とお》くから、人間大《にんげんだい》のモロボシ・ダンにビームを命中《めいちゅう》させるのは至難《しなん》の業《わざ》。それはたとえば、体長《たいちょう》1・2㎜のミジンコの、その目玉《めだま》を、431光年離《こうねんはな》れた北極星《ほっきょくせい》から撃《う》ち抜《ぬ》くようなものなのだ！

いくらなんでも難《むずか》しすぎるのではないか。もし外《はず》れたら、ビキニ水爆《すいばく》1億発分《おくはつぶん》のエネルギーが地球《ちきゅう》を直撃《ちょくげき》……！　地球《ちきゅう》は間違《まちが》いなく滅亡《めつぼう》するでしょうなあ。

う〜む。筆者《ひっしゃ》なりに前向《まえむ》きに考《かんが》えているつもりなのだが、なぜこう悲惨《ひさん》な結末《けつまつ》になってしまうのか。おそらく劇中《げきちゅう》のウルトラセブンは、科学《かがく》を超《こ》えたウルトラな方法《ほうほう》で巨大化《きょだいか》しているのだろう。そう思《おも》いたいです。

とっても気《き》になる昔話《むかしばなし》の疑問《ぎもん》

一寸法師《いっすんぼうし》は、あの小《ちい》さな体《からだ》で、なぜ鬼《おに》に勝《か》てたのですか？

桃《もも》から生《う》まれた桃太郎《ももたろう》。竹《たけ》から生《う》まれたかぐや姫《ひめ》。垢《あか》から生《う》まれた力太郎《ちからたろう》……。

昔話《むかしばなし》には、変《か》わった生《う》まれ方《かた》をする人《ひと》がしばしばいるが、彼《かれ》らに比《くら》べれば一寸法師《いっすんぼうし》の誕生《たんじょう》は、ただ一点《いってん》を除《のぞ》いて平凡《へいぼん》だった。なにしろ、人間《にんげん》の夫婦《ふうふ》のあいだに生《う》まれたのだから。

だが、その一点《いってん》のインパクトが絶大《ぜつだい》である。子《こ》どもが生《う》まれてみたら、身長《しんちょう》が1寸《すん》！　1寸《すん》とは約《やく》3㎝だ。びっくりしただろうなあ、ご両親《りょうしん》。

その一寸法師《いっすんぼうし》が13歳《さい》になって、お椀《わん》の舟《ふね》で都《みやこ》へ上《のぼ》り、鬼退治《おにたいじ》をするのである。体《からだ》の小《ちい》さな者《もの》が大《おお》きな相手《あいて》を打《う》ち倒《たお》すのは、日本人《にほんじん》が万雷《ばんらい》の拍手《はくしゅ》を送《おく》る、待《ま》ってましたのハッピーエンド。しか

し相手《あいて》は、身長《しんちょう》2mはあろうかという堂々《どうどう》たる鬼《おに》なのだ。人間《にんげん》vs怪獣《かいじゅう》ほどの体格差《たいかくさ》を乗《の》り越《こ》えて勝《か》ったわけで、いくらなんでも小《しょう》よく大《だい》を制《せい》しすぎではなかろうか。

なぜ一寸法師《いっすんぼうし》は鬼《おに》に勝《か》てたのか？　その理由《りゆう》を科学的《かがくてき》に考《かんが》えてみよう。

◆出《で》かけるときは、三寸法師《さんすんぼうし》！

生《う》まれたときの身長《しんちょう》が3㎝。人間《にんげん》の新生児《しんせいじ》は身長《しんちょう》50㎝ほどだから、一寸法師《いっすんぼうし》は普通《ふつう》の赤《あか》ちゃんの17分《ぶん》の1という小《ちい》ささだったことになる。

これだけ体《からだ》が小《ちい》さいと、体重《たいじゅう》も相当《そうとう》に軽《かる》かったはずだ。身長《しんちょう》が17分《ぶん》の1なら、体《からだ》の横幅《よこはば》も前後《ぜんご》の厚《あつ》みも17分《ぶん》の1になるので、体重《たいじゅう》は17×17×17＝4913で、およそ5千分《せんぶん》の1。新生児《しんせいじ》の体《たい》重《じゅう》は3㎏ぐらいだから、一寸法師《いっすんぼうし》は体重《たいじゅう》がわずか0・6gしかなかったと思《おも》われる！

カマキリさえ3g、トノサマバッタでも1g。これらの虫々《むしむし》より軽《かる》いどころか、1円玉《えんだま》より軽《かる》い。ここまで小《ちい》さいと、お母《かあ》さんも妊娠《にんしん》に気《き》づいたかどうか……。

両親《りょうしん》がどれほど驚《おどろ》き慌《あわ》てたかは、つけた名前《なまえ》からうかがえる。命名《めいめい》、一寸法師《いっすんぼうし》。生《う》まれたときは1寸《すん》だったかもしれないが、チョット待《ま》って、お父《とう》さん&お母《かあ》さん。子《こ》どもは成長《せいちょう》するものだから、生《う》まれたときの身長《しんちょう》を名前《なまえ》にしたら、あとで困《こま》るだろう。もらってきた子犬《こいぬ》に「チビ」と名《な》づけたら、たちまち大《おお》きくなって「えっ、これがチビ？」みたいな話《はなし》になるぞ。

実際《じっさい》のところ、鬼退治《おにたいじ》に行《い》った13歳《さい》のとき、一寸法師《いっすんぼうし》はどれほど成長《せいちょう》していたのだろうか？

日本人《にほんじん》の13歳男子《さいだんし》の平均体格《へいきんたいかく》は、身長《しんちょう》159・6㎝、体重《たいじゅう》48・1kg（2015年《ねん》）。生《う》まれたときに身長《しんちょう》50㎝・体重《たいじゅう》3kgだった赤《あか》ん坊《ぼう》が、13年《ねん》でここまで大《おお》きくなるわけだ。

一寸法師《いっすんぼうし》もこれと同《おな》じ割合《わりあい》で成長《せいちょう》したとすれば、13歳《さい》のときには、身長《しんちょう》は同《おな》じ歳《とし》の人《ひと》たちの17分《ぶん》の1で9・7㎝、体重《たいじゅう》は5千分《せんぶん》の1で10・7gだったことになる。一寸法師《いっすんぼうし》は、お椀《わん》の舟《ふね》に乗《の》って都《みやこ》に向《む》かったが、お椀《わん》というものの大《おお》きさから考《かんが》えても、9・7㎝はナットクの身長《しんちょう》だ。

つまり、この頃《ころ》の一寸法師《いっすんぼうし》は、正《ただ》しくは「三寸法師《さんすんぼうし》」になっていたわけである。ほら、やっぱり生《う》まれたときの大《おお》きさを名前《なまえ》につけたらマズイって〜。

◆科学的《かがくてき》に考《かんが》えると、かなり強《つよ》い！

三寸法師《さんすんぼうし》に成長《せいちょう》しても、お椀《わん》の舟《ふね》と箸《はし》の櫂《かい》で川《かわ》をさかのぼって都《みやこ》に向《む》かうのは、かなり大変《たいへん》だったのではないだろうか。

そもそも箸《はし》が持《も》てたのか？　台所《だいどころ》から箸《はし》を拝借《はいしゃく》して測《はか》ってみると、長《なが》さは22㎝。およそ7寸《すん》であり、三寸法師《さんすんぼうし》の身長《しんちょう》の倍以上《ばいいじょう》だ。また重《おも》さは10gで、自分《じぶん》の体重《たいじゅう》くらい。一寸法師《いっすんぼうし》にとっては丸太《まるた》も同然《どうぜん》で、こんなモノで舟《ふね》など漕《こ》いだら、たちまち疲労困憊《ひろうこんぱい》するのでは……？

だが、科学的《かがくてき》に考《かんが》えれば、意外《いがい》に大丈夫《だいじょうぶ》なのである。

筋肉《きんにく》が出《だ》せる力《ちから》は、筋肉《きんにく》の断面積《だんめんせき》に比例《ひれい》する。ここから計算《けいさん》すると、身長《しんちょう》が常人《じょうじん》の17分《ぶん》の1の一寸法師《いっすんぼうし》は、筋肉《きんにく》の断面積《だんめんせき》が常人《じょうじん》の300分《ぶん》の1だったことになる。

つまり一寸法師《いっすんぼうし》は、普通《ふつう》の13歳《さい》の300分《ぶん》の1の力《ちから》が出《だ》せたはず。「たった300分《ぶん》の1」と思《おも》ってはならない。体重《たいじゅう》は5千分《せんぶん》の1なのに、筋力《きんりょく》は300分《ぶん》の1なのだ。一寸法師《いっすんぼうし》は、予想外《よそうがい》に力持《ちからも》ちということだ！

13歳《さい》の男子《だんし》が30kgの荷物《にもつ》を持《も》てるとしよう。すると、一寸法師《いっすんぼうし》が持《も》てる荷物《にもつ》は、その300分《ぶん》の1で100g。なんと自分《じぶん》の体重《たいじゅう》の10倍《ばい》だあ！

体《からだ》が小《ちい》さくなると、筋力《きんりょく》は体重《たいじゅう》に比《くら》べて強《つよ》くなる。アリが自分《じぶん》より何倍《なんばい》も重《おも》い物《もの》を運《はこ》べ、ノミが体長《たいちょう》の何倍《なんばい》もジャンプできる理由《りゆう》がここにある。

◆キミと同《おな》じくらい跳《と》べる!?

ならば、一寸法師《いっすんぼうし》はジャンプ力《りょく》もすごいことにならないか？

足《あし》の筋肉《きんにく》が出《だ》すエネルギーは「筋力《きんりょく》」×「離陸《りりく》するまでに体《からだ》を動《うご》かす距離《きょり》」で決《き》まる。まず、一寸法師《いっすんぼうし》の筋力《きんりょく》は、右《みぎ》で述《の》べたとおり、普通《ふつう》の13歳《さい》の３００分《ぶん》の1だ。そして、身長《しんちょう》が常人《じょうじん》の17分《ぶん》の1なのだから、離陸《りりく》するまでに体《からだ》を動《うご》かす距離《きょり》も17分《ぶん》の1だろう。するとジャンプのエネルギーは３００×17で、５千分《せんぶん》の1になる。一寸法師《いっすんぼうし》はジャンプするとき、跳《と》び上《あ》がるための動作《どうさ》によって、これだけのエネルギーを自分《じぶん》の体《からだ》に与《あた》えるわけだ。

ところが、これまで見《み》てきたように、一寸法師《いっすんぼうし》の体重《たいじゅう》は一般人《いっぱんじん》の５千分《せんぶん》の1しかない。５千分《せんぶん》の1のエネルギーで、５千分《せんぶん》の1の重《おも》さの体《からだ》を跳《と》び上《あ》がらせると、どうなるか？　当然《とうぜん》、同《おな》じ高《たか》さに到達《とうたつ》する。

意外《いがい》や意外《いがい》、科学的《かがくてき》に考《かんが》えれば、身長《しんちょう》９・７㎝の一寸法師《いっすんぼうし》は、身長《しんちょう》１５９・６㎝の少年《しょうねん》たちと、まったく同《おな》じ高《たか》さまでジャンプできるはずなのだ！　13歳《さいだん》男子《し》の垂直跳《すいちょくと》びの平均《へいきん》は50㎝だから、一寸法師《いっすんぼうし》のジャンプ力《りょく》も50㎝！　これはビックリですなあ。

そして、ジャンプ力《りょく》が同《おな》じなら、計算上《けいさんじょう》は走《はし》る速度《そくど》も同《おな》じになる。一寸法師《いっすんぼうし》は、普通《ふつう》の13歳《さい》と同《おな》じスピードでびゅんびゅん走《はし》れるということだ。

これほどの体力《たいりょく》があれば、お椀《わん》の舟《ふね》を箸《はし》の櫂《かい》で漕《こ》ぐのも、さして苦《く》にはなるまい。おお、都《みやこ》での鬼退治《おにたいじ》にも、明《あか》るい展望《てんぼう》が見《み》えてきましたぞ。

◆つい、鬼《おに》に同情《どうじょう》を……

とはいえ、油断《ゆだん》は禁物《きんもつ》である。50cmジャンプしたところで、せいぜい鬼《おに》の膝《ひざ》くらいまでしか届《とど》かない。できる攻撃《こうげき》といえば、刀《かたな》の代《か》わりに持《も》っている針《はり》で、膝《ひざ》をグサリと刺《さ》すぐらい……。

いや、これはかなり効果《こうか》があるのではないか。膝《ひざ》を針《はり》で刺《さ》れたら、さすがの鬼《おに》も嫌《いや》がると思《おも》う。だが、鬼《おに》が逃《に》げても、一《いっ》般《ぱん》の人間《にんげん》と同《おな》じ速度《そくど》で走《はし》れる一《いっ》寸法師《すんぼうし》は、たちまち追《お》いついて、また膝《ひざ》をグサリ。逃《に》げても、逃《に》げても、グサリ、グサリ、またグサリ。ひ〜っ、意外《いがい》とエグイ攻撃《こうげき》ができるんだなあ、一寸法師《いっすんぼうし》。

これに対《たい》して、鬼《おに》はどうすればいいのか。ぴょんぴょん跳《と》んできて針《はり》で刺《さ》しまくる厄介《やっかい》な一寸《いっすん》法師《ぼうし》に対抗《たいこう》するには……あ。キミが持《も》ってるそれだそれ。打《う》ち出《で》の小槌《こづち》で叩《たた》けばいいじゃん！

しかし鬼《おに》は、この絶好《ぜっこう》の作戦《さくせん》を選《えら》ばなかった。昔話《むかしばなし》『一寸法師《いっすんぼうし》』によれば、なんと一寸法師《いっすんぼうし》をつまみ上《あ》げて丸呑《まるの》みにしたのである。当然《とうぜん》ながら、体内《たいない》の一寸法師《いっすんぼうし》は、あたり一面《いちめん》メッタ刺《ざ》し。鬼《おに》はなすすべもなく、泣《な》いて謝《あやま》ったという……。

う〜む。どう考《かんが》えても、最後《さいご》は鬼《おに》の作戦《さくせん》ミスですな〜。針《はり》を持《も》った一寸法師《いっすんぼうし》を呑《の》むというのは、それすなわち自分《じぶん》から針《はり》を呑《の》むということだ。どうせ口《くち》に入《い》れるんだったら、噛《か》んじゃえばよかったのに……。

などと、いつの間《ま》にか鬼《おに》の応援《おうえん》をしているじゃないか、自分《じぶん》。だが、科学的《かがくてき》に考《かんが》えれば、それほど一寸法師《いっすんぼうし》は強《つよ》いはず、ということだ。小《ちい》さいから弱《よわ》いとは限《かぎ》らない。それを教《おし》えてくれる昔《むかし》むかしのお話《はなし》であった。

とっても気《き》になる怪談《かいだん》の疑問《ぎもん》

口《くち》裂《さ》け女《おんな》や人面犬《じんめんけん》は実在《じつざい》しますか？出会《であ》ったらどうすればいいですか？

筆者《ひっしゃ》は科学《かがく》を志《こころざ》す人間《にんげん》だから、お化《ば》けや幽霊《ゆうれい》など、まったく信《しん》じていない。科学的《かがくてき》に説明《せつめい》のつかない不思議《ふしぎ》な存在《そんざい》など、この世《よ》にあるわけがないのだ。信《しん》じないよ。絶対《ぜったい》に信《しん》じないッ！

こう熱弁《ねっべん》を振《ふ》るえば振《ふ》るうほど、まわりの人《ひと》には「怪《あや》しいなあ。実《じつ》はモノスゴク信《しん》じてるんじゃないの？」と言《い》われてしまうのだ。う〜ん、なぜわかってもらえないのだろう。お化《ば》けも幽霊《ゆうれい》もいない。いるはずがない。だが、科学的《かがくてき》に存在《そんざい》するはずのないものが、もし現実《げんじつ》に出《で》てきちゃったら……。ぞぞぞっ、書《か》いてるだけで鳥肌《とりはだ》が立《た》ってきた。わ〜、オソロシか〜。

というわけで、本当《ほんとう》にいるわけはないんだけど、本稿《ほんこう》では、巷《ちまた》で耳《みみ》にする不思議《ふしぎ》な存在《そんざい》たちに

ついて考《かんが》えてみよう。いるわけないんだけどね、絶対《ぜったい》に。

◆トイレの花子《はなこ》さん

学校《がっこう》の3階《がい》にあるトイレ。いちばん手前《てまえ》の個室《こしつ》から順《じゅん》に、扉《とびら》を3回《かい》ノックして「花子《はなこ》さん、遊《あそ》びましょ」と声《こえ》をかけていく。すると3巡《じゅん》めで、手前《てまえ》から3番目《ばんめ》の個室《こしつ》から「はい」とかすかな返事《へんじ》が返《かえ》ってくる。恐《おそ》るおそる扉《とびら》を開《あ》けると、そこにはおかっぱ頭《あたま》で、赤《あか》いスカートを穿《は》いた女《おんな》の子《こ》がいて、あなたの手《て》をガッとつかみ……!

ひ～っ、背筋《せすじ》が凍結《とうけつ》しそうな話《はなし》である。何《なに》もかも3づくしというのが、なんとも恐《おそ》ろしい。これが、1階《かい》のトイレの手前《てまえ》から1番目《ばんめ》の個室《こしつ》を1回《かい》ノックしたら「はいよっ」と威勢《いせい》よく出現《しゅつげん》!だと、あんまり怖《こわ》くないような気《き》が……いやいや、数字《すうじ》の3が続《つづ》くから怖《こわ》いなど、科学的《かがくてき》には何《なん》の根拠《こんきょ》もない話《はなし》。そもそも花子《はなこ》さんなんて、いるわけないのだ。

しかし、もしいるとしたら、どういうことになるのだろう? 全国《ぜんこく》に広《ひろ》がっている怪談話《かいだんばなし》だから、花子《はなこ》さんはどこの学校《がっこう》にも現《あらわ》れる可能性《かのうせい》があるのだろう。2017年《ねん》のデータでは、わが国《くに》の小学校数《しょうがっこうすう》は2万《まん》95校《こう》。1つの学校《がっこう》に、3階《がい》のトイレが2つずつあるとしたら、花子《はなこ》さんは少《すく》なくとも4万《まん》190人《にん》いて、全国津々浦々《ぜんこくつつうらうら》の3階《がい》のトイレでそれぞれ息《いき》を潜《ひそ》めている……!? 花《はな》子《こ》さんが全員集合《ぜんいんしゅうごう》すれば、東京《とうきょう》ドームを埋《う》め尽《つ》くす花子《はなこ》さん花子《はなこ》さん花子《はなこ》さん花子《はなこ》さん花子《はなこ》さん花子《はなこ》さん花子《はなこ》さん花子《はなこ》さん……。わ〜、この想像《そうぞう》も怖《こわ》いです〜。

う〜ん、考《かんが》えれば考《かんが》えるほど、どんどん怖《こわ》くなるなあ、花子《はなこ》さん。いないはずなのに、なぜ!?

◆人面犬《じんめんけん》

路地裏《ろじうら》のごみ置《お》き場《ば》をあさっている犬《いぬ》。よく見《み》ると、その顔《かお》はまぎれもなく人間《にんげん》だ！　それに気《き》がつき、呆然《ぼうぜん》とする者《もの》に、人面犬《じんめんけん》は無愛想《ぶあいそう》につぶやく。「ほっといてくれ」と……。

これは、怖《こわ》いというより、科学的《かがくてき》にまことに興味深《きょうみぶか》い犬《いぬ》である。人面犬《じんめんけん》は「人間《にんげん》の顔《かお》をした犬《いぬ》」であって「犬《いぬ》の体《からだ》をした人間《にんげん》」ではないから、あくまでも犬《いぬ》の突然変異《とつぜんへんい》なのだろう。

しかし、人面犬《じんめんけん》にとって、突然変異《とつぜんへんい》したのが顔《かお》だったことは、最大《さいだい》の不幸《ふこう》ではあるまいか。彼《かれ》の一族《いちぞく》が誇《ほこ》りとしてきた嗅覚《きゅうかく》(においをかぐ能力《のうりょく》)が、人間並《にんげんな》みに低下《ていか》してしまったのだから。

これでは、オシッコのにおいで他《ほか》の犬《いぬ》の縄張《なわば》りを察知《さっち》し、みだりに立《た》ち入《い》らないという、社会《しゃかい》人《じん》……いや、社会犬《しゃかいけん》としての基本《きほん》マナーが守《まも》れない！

当然《とうぜん》、他《ほか》の犬《いぬ》としばしばケンカになるだろう。しかし、犬《いぬ》の牙《きば》vs人間《にんげん》の歯《は》では、人面犬《じんめんけん》に勝《か》ち目《め》はない。もはや、野生動物《やせいどうぶつ》として生《い》きていくことは困難《こんなん》である。唯一残《ゆいいつのこ》された道《みち》は、人間《にんげん》に飼《か》ってもらうこと。ところが、前述《ぜんじゅつ》したように、人面犬《じんめんけん》は人間《にんげん》に対《たい》して「ほっといてくれ」と言《い》ったり、カップルを揶揄《やゆ》したりするなど、あまり態度《たいど》がよろしくないらしい。生活《せいかつ》のことを考《かんが》えるなら、もっと愛想《あいそ》よくしたほうがいいんじゃないかなー。

生《い》きるだけで苦労《くろう》する人面犬《じんめんけん》。もしあなたが遭遇《そうぐう》したら、優《やさ》しくしてあげよう。

◆口裂《くちさ》け女《おんな》

もっとも有名《ゆうめい》な都市伝説《としでんせつ》が、この口裂《くちさ》け女《おんな》だろう。

1人《ひとり》で道《みち》を歩《ある》いていると、向《む》こうからマスクをかけたお姉《ねえ》さんが歩《ある》いてくる。いきなり「私《わたし》、きれい？」と尋《たず》ねるので、思《おも》わず「はい」と答《こた》えると、お姉《ねえ》さんはマスクを外《はず》しながら「これでも〜!?」。その口《くち》は、耳《みみ》まで裂《さ》けていた……！

こ、これは怖《こわ》い。とくに近年《きんねん》、街《まち》にはマスクをした人《ひと》がとても増《ふ》えたので、いつどこで突然《とつぜん》「私《わたし》、きれい？」と聞《き》かれるか、まったく予断《よだん》を許《ゆる》さない……ような気《き》がする。電車《でんしゃ》に乗《の》ったとき、マスク姿《すがた》の女性《じょせい》が周囲《しゅうい》にいっぱいいたら、筆者《ひっしゃ》はもう怖《こわ》くてドキドキです。

口裂《くちさ》け女《おんな》に対《たい》しては「私《わたし》、きれい？」と聞《き》かれたときに、「きれいじゃない」とか「普通《ふつう》ですね」と答《こた》えればいい、という説《せつ》がある。いや、それはあなた、女《おんな》ゴコロというものを全然《ぜんぜん》わかってな

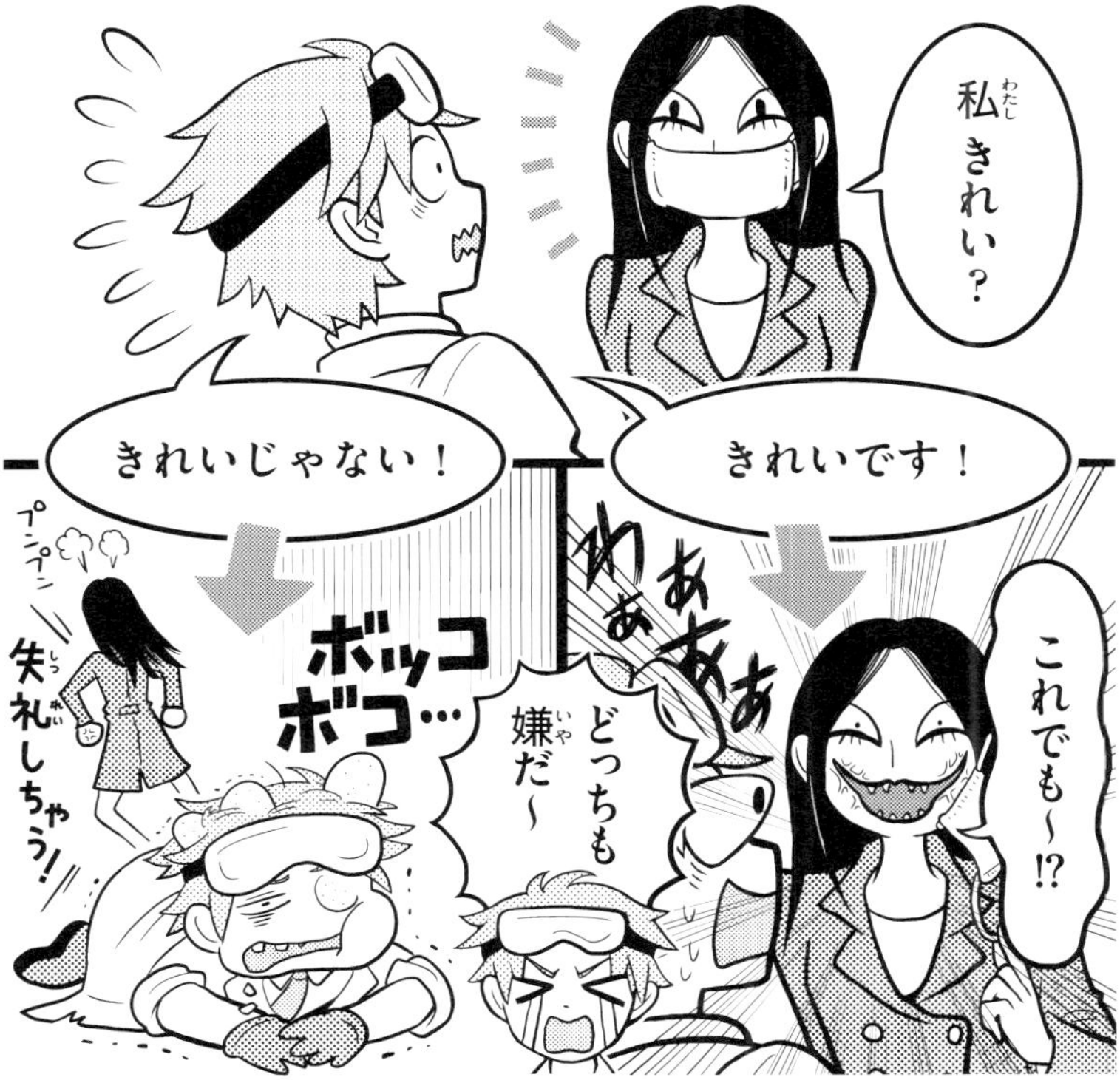

い人《ひと》の考《かんが》えでしょう。女性《じょせい》が「きれい？」と聞《き》いてきたとき、男子《だんし》には「はい。とてもきれいです」と答《こた》える以外《いがい》に選択肢《せんたくし》はない。そうじゃないと、相手《あいて》が口裂《くちさ》け女《おんな》じゃなくても、間違《まちが》いなくボコボコにされます。

また「ポマード」と３回《かい》唱《とな》えたり、ベッコウアメを渡《わた》して、そのあいだに逃《に》げるのが有効《ゆうこう》、ともいわれているらしい。しかし、口裂《くちさ》け女《おんな》から逃《に》げることが、そう簡単《かんたん》にできるのか。

口裂《くちさ》け女《おんな》の運動能力《うんどうのうりょく》は結構《けっこう》すごくて、１００ｍをたったの３

秒《びょう》で走《はし》るという！　速《はや》い。仮《かり》に筆者《ひっしゃ》がベッコウアメやポマードで口裂《くちさ》け女《おんな》のスタートを5秒遅《びょうおく》らせ、人生自己《じんせいじこ》ベストの50m走《そう》7秒《びょう》0の速度《そくど》で逃《に》げたとしても、口裂《くちさ》け女《おんな》がダッシュをかけた1・6秒後《びょうご》には追《お》いつかれてしまうのだ。もっひ〜っ！

　ならばヤブレカブレで、踏《ふ》みとどまって戦《たたか》うべきか。しかし20代《だい》の女性《じょせい》の50m走《そう》のタイムは9秒《びょう》ぐらいで、口裂《くちさ》け女《おんな》はその6倍《ばい》も速《はや》い。速度《そくど》が6倍《ばい》なら、脚力《きゃくりょく》は6×6＝36倍《ばい》という計算《けいさん》になる。キックとかもすごそうで、絶対《ぜったい》に負《ま》ける自信《じしん》があります。

　またジャンプ力《りょく》も36倍《ばい》。口裂《くちさ》け女《おんな》は2階以上《かいいじょう》に上《あ》がれないという説《せつ》もあるようだが、科学的《かがくてき》には信《しん》じがたい。20代女性《だいじょせい》の垂直跳《すいちょくと》びの平均《へいきん》は40㎝だから、その36倍《ばい》となると、口裂《くちさ》け女《おんな》の跳躍力《ちょうやくりょく》は14・4m。5階《かい》の窓《まど》にひとっ跳《と》び！　人《ひと》を襲《おそ》ったりしていないで、オリンピックを目指《めざ》していただきたい！

　結論《けつろん》。口裂《くちさ》け女《おんな》に出会《であ》ってしまったら、打《う》つ手《て》はない。唯一助《ゆいいったす》かる道《みち》があるとしたら、最初《さいしょ》に「私《わたし》、きれい？」と聞《き》かれた瞬間《しゅんかん》だ。イチかバチかで「マスクをかけた姿《すがた》が、ものすごくきれいです！」と言《い》って、マスクを外《はず》す理由《りゆう》をなくし、先方《せんぽう》の反応《はんのう》を待《ま》つ……とか？　その後《ご》どういう展開《てんかい》になるか、筆者《ひっしゃ》は一切責任《いっさいせきにん》を負《お》えませんが。

とっても気《き》になるマンガの疑問《ぎもん》

『七《なな》つの大罪《たいざい》』のエリザベスは布《ぬの》で体《からだ》を巻《ま》いて、ダルマさんみたいになってました。実際《じっさい》にやれますか？

10年前《ねんまえ》に王国《おうこく》の転覆《てんぷく》を謀《はか》ったとされ、全国《ぜんこく》の聖騎士《せいきし》から追《お》われる身《み》となった7人《にん》の騎士《きし》「七《なな》つの大罪《たいざい》」。だが1人《ひとり》の少女《しょうじょ》が、世《よ》の中《なか》に災《わざわ》いを呼《よ》ぶのは聖騎士《せいきし》のほうだと気《き》づき、彼《かれ》らに対抗《たいこう》できる「七《なな》つの大罪《たいざい》」を探《さが》す旅《たび》に出《で》た……。いやあ、わくわくするなあ、『七《なな》つの大罪《たいざい》』。導入《どうにゅう》の部《ぶ》分《ぶん》を紹介《しょうかい》しただけでも、ひとり大盛《おおも》り上《あ》がり。

ところで、「週刊少年《しゅうかんしょうねん》マガジン」で連載《れんさい》が始《はじ》まる1年前《ねんまえ》に、このマンガの読《よ》み切《き》り版《ばん》が発表《はっぴょう》されたことをご存《ぞん》じだろうか。

描《えが》かれたのは、まさにいま紹介《しょうかい》した物語《ものがたり》の冒頭部分《ぼうとうぶぶん》だ。「七《なな》つの大罪《たいざい》」と呼《よ》ばれる騎士《きし》たちが、

悪《あく》の聖騎士《せいきし》に対抗《たいこう》するという構図《こうず》は、連載版《れんさいばん》と同《おな》じ。エリザベスが「七《なな》つの大罪《たいざい》」を探《さが》して酒場《さかば》に現《あらわ》れるという展開《てんかい》も同《おな》じ。ただし、ディテールはかなり違《ちが》っていて、「七《なな》つの大罪《たいざい》」の1人《ひとり》・メリオダスの営《いとな》む酒場《さかば》は、連載版《れんさいばん》では「豚《ぶた》の帽子亭《ぼうしてい》」、読《よ》み切《き》り版《ばん》では「林檎亭《アヴァロてい》」だ。そこにエリザベスが現《あらわ》れたとき、連載版《れんさいばん》では、彼女《かのじょ》はボロボロの甲冑《かっちゅう》を着《き》ていた。ところが読《よ》み切《き》り版《ばん》では、エリザベスは全身《ぜんしん》にボロ布《ぬの》をグルグル巻《ま》きにして現《あらわ》れたのだ！

これ、科学的《かがくてき》にはまことに興味深《きょうみぶか》いグルグル巻《ま》きである。

そんじょそこらのグルグル巻《ま》きではない。頭《あたま》から膝《ひざ》まで布《ぬの》を分厚《ぶあつ》く巻《ま》いて、もうほとんどダルマさん状態《じょうたい》なのだ。胸《むね》のあたりからわずかに左手《ひだりて》を出《だ》して、ほどけないように布《ぬの》の端《はし》を握《にぎ》り、布《ぬの》の奥《おく》から覗《のぞ》く目《め》はランランと光《ひか》っている。妖怪《ようかい》か何《なに》かのようにブキミである。

と思《おも》ったら、やがて自分《じぶん》で布《ぬの》を踏《ふ》んづけて転《ころ》んでしまい、ゴロゴロと店《みせ》の床《ゆか》を転《ころ》がっていく。同時《どうじ》に、布《ぬの》もどんどんほどけていって、最後《さいご》にテーブルにぶつかって止《と》まり、顔《かお》に落《お》ちてきたスパゲティを、エリザベスは幸《しあわ》せそうに食《た》べたのだった……。

本稿《ほんこう》では、このグルグル巻《ま》きについて考《かんが》えたい。え？　壮大《そうだい》な『七《なな》つの大罪《たいざい》』のなかで、なぜこんなに小《ちい》さなエピソードを扱《あつか》うのかって？　諸君《しょくん》、グルグル巻《ま》きを甘《あま》く考《かんが》えてはなりませんぞ。ダルマさん状態《じょうたい》になるほどのグルグル巻《ま》きがいかに恐《おそ》ろしいか、検討《けんとう》する価値《かち》は充分《じゅうぶん》にある！

◆えっ、布《ぬの》の長《なが》さは5㎞以上《いじょう》!?

布《ぬの》の巻《ま》かれ方《かた》を明《あき》らかにするために、マンガの描写《びょうしゃ》を細《こま》かく見《み》てみよう。グルグル巻《ま》きエリザベスの全身《ぜんしん》がよくわかるコマを探《さが》すと、彼女《かのじょ》は身長《しんちょう》1・6㎝に描《えが》かれていた。エリザベスの実際《じっさい》の身長《しんちょう》を160㎝とすると、このコマは縮尺《しゅくしゃく》100分《ぶん》の1で描《か》かれていることになる。

一方《いっぽう》、巻《ま》かれている布《ぬの》のかたまりのサイズは、コマのなかでは直径《ちょっけい》1・2㎝、縦《たて》の長《なが》さ1・3㎝の楕円形《だえんけい》。すると、本当《ほんとう》のサイズは直径《ちょっけい》1m20㎝、縦《たて》1m30㎝ということになる。まさにダルマさんですなあ。

人間《にんげん》をここまで着《き》ぶくれさせるには、かなりの量《りょう》の布《ぬの》が必要《ひつよう》だろう。

その量《りょう》を知《し》るために、筆者《ひっしゃ》は晒《さら》し木綿《もめん》を1反《たん》買《か》ってきた。「反《たん》」は、昔《むかし》の日本《にほん》で使《つか》われた布《ぬの》の長《なが》さを表《あらわ》す単位《たんい》で、1反《たん》あれば、1人分《ひとりぶん》の和服《わふく》が作《つく》れるとされている。現在《げんざい》の単位《たんい》に直《なお》せば、幅《はば》33㎝、長《なが》さおよそ10mだ。これを筆者《ひっしゃ》の胴体《どうたい》に巻《ま》きつけていくと、ちょうど10周《しゅう》で布《ぬの》を巻《ま》ききった。ということは、筆者《ひっしゃ》の胴《どう》まわりは1mあるってこと!? うわ〜、ダイエットしなければ〜。

このとき、布《ぬの》10層《そう》の厚《あつ》みを測《はか》ると5・5㎜だった。また、胴《どう》に巻《ま》いた布《ぬの》の面積《めんせき》は33㎝×1m。それらをかけ算《ざん》すれば、いま筆者《ひっしゃ》に巻《ま》きつけた布《ぬの》の体積《たいせき》がわかる。答《こたえ》は1・8L《リットル》だ。

一方《いっぽう》、マンガの描写《びょうしゃ》から、エリザベスの体《からだ》に巻《ま》かれた布《ぬの》の体積《たいせき》も求《もと》められる。直径《ちょっけい》1・2m、縦《たて》１・３ｍのダルマさん形《がた》から、内部《ないぶ》に入《はい》ったエリザベスの体《からだ》の体積《たいせき》を引《ひ》くと、９４０Ｌ《リットル》。体《たい》積《せき》の比率《ひりつ》でいえば、先《さき》ほど筆者《ひっしゃ》が巻《ま》いた布《ぬの》の５２０倍《ばい》だ。もし、エリザベスの布《ぬの》が、筆者《ひっしゃ》の木綿《もめん》と幅《はば》も厚《あつ》みも同《おな》じだったとすると、彼女《かのじょ》が体《からだ》に巻《ま》きつけていた布《ぬの》の長《なが》さは、なんと５２００ｍ！

こうなると、重《おも》さもスゴイことになる。晒《さら》し木綿《もめん》１反《たん》の重《おも》さを量《はか》ると３６６ｇだったから、エリザベスの布《ぬの》はその５２０倍《ばい》で、えぇっ、１９０kg!? こんなに重《おも》いモノを身《み》にまとっていては、歩《ある》くこともできないのでは……。

◆どうやって巻《ま》いたんだろう？

長《なが》さ５２００ｍ＝５・２㎞もの布《ぬの》を体《からだ》に巻《ま》いていたとなると、エリザベスが「林檎亭《アヴァロてい》」でゴロゴロ転《ころ》がっただけで布《ぬの》がすべてほどけたのが不思議《ふしぎ》である。布《ぬの》の長《なが》さが５・２㎞あるのだから、それをすべてほどくには、やはり５・２㎞の距離《きょり》を転《ころ》がらなければならないはずだ。

「林檎亭《アヴァロてい》」の床《ゆか》の広《ひろ》さは10ｍ四方《しほう》くらいしかなさそうなので、ここで５・２㎞転《ころ》がるためには、エリザベスは店《みせ》の端《はし》から端《はし》まで２６０往復《おうふく》する必要《ひつよう》がある。回転《かいてん》の平均速度《へいきんそくど》が、人《ひと》が歩《ある》くのと同《おな》じ時速《じそく》４㎞だとすると、彼女《かのじょ》が転《ころ》がり続《つづ》ける時間《じかん》は１時間《じかん》20分《ぷん》！ 転《ころ》がり始《はじ》めてから入《はい》ってきた客《きゃく》が、テーブルに着《つ》いて、メニューを見《み》て注文《ちゅうもん》し、ゆっくり食事《しょくじ》をして、お会計《かいけい》して帰《かえ》っていくまでのあいだ、このヒロインはず〜っと転《ころ》がり続《つづ》けていた可能性《かのうせい》もあるわけだ。

筆者《ひっしゃ》はさらに心配《しんぱい》するのだが、これほどの布《ぬの》をどうやって体《からだ》に巻《ま》きつけたのだろうか？

試《ため》しに、また晒《さら》し木綿《もめん》を胴《どう》に巻《ま》き、今度《こんど》は巻《ま》きつける時間《じかん》を計《はか》ってみると、44秒《びょう》かかった。自分《じぶん》では、わりと速《はや》く巻《ま》けた気《き》がする。包帯《ほうたい》を巻《ま》くときの要領《ようりょう》で、布《ぬの》をあらかじめきっちり巻《ま》いておけば、体《からだ》のまわりを回転《かいてん》させていくだけで楽《らく》に速《はや》く巻《ま》けるのだ。

とはいえ、エリザベスの布《ぬの》は筆者《ひっしゃ》の晒《さら》し木綿《もめん》の５２０倍《ばい》。単純計算《たんじゅんけいさん》すると、巻《ま》き時間《じかん》は44秒《びょう》の５２０倍《ばい》で、なんと６時間《じかん》20分《ぷん》にもなる。朝《あさ》８時《じ》30分《ぷん》に巻《ま》き始《はじ》めたとしたら、休《やす》みも食事《しょくじ》も取《と》らなかったとしても、巻《ま》き終《お》わるのは午後《ごご》の２時《じ》50分《ぷん》だ！

こんなにかかっていたのでは大変《たいへん》すぎるから、ほどくときの逆《ぎゃく》をやればいいのではないだろうか。つまり、布《ぬの》を地面《じめん》に一直線《いっちょくせん》に敷《し》いて、その上《うえ》をゴロゴロ転《ころ》がるのだ。

しかし、これもなかなか大変《たいへん》である。長《なが》さ５・２㎞の布《ぬの》を地面《じめん》に敷《し》くには、当然《とうぜん》５・２㎞先《さき》まで歩《ある》かなければならない。そして布《ぬの》をすべて敷《し》き終《お》えたら、今度《こんど》はそこから出発点《しゅっぱつてん》に向《む》かって、５・２㎞をゴロゴロ転《ころ》がりながら戻《もど》ってくることになる。布《ぬの》を体《からだ》に巻《ま》く行為《こうい》も着替《きが》えと呼《よ》べるなら、これは史上最大規模《しじょうさいだいきぼ》の着替《きが》えだろう。

さらに、布《ぬの》を巻《ま》いている途中《とちゅう》で、困《こま》った事態《じたい》に陥《おちい》ってしまう。ゴロゴロ転《ころ》がっていくうちに、巻《ま》きついた布《ぬの》の厚《あつ》みはどんどん増《ま》していくから、そのうち、手足《てあし》が地面《じめん》に届《とど》かなくなるのだ。布《ぬの》だけが地面《じめん》に接《せっ》し、体《からだ》が浮《う》いた状態《じょうたい》で、回転《かいてん》に必要《ひつよう》な力《ちから》をどうやって生《う》み出《だ》すのか……!?

◆グルグル巻《ま》くのは命《いのち》がけ!

この問題《もんだい》を解決《かいけつ》するために、筆者《ひっしゃ》がおススメしたいのは、坂道《さかみち》を利用《りよう》することだ。布《ぬの》は平地《へいち》ではなく、斜面《しゃめん》に敷《し》いて、いちばん高《たか》い位置《いち》から転《ころ》がり下《お》りてくればいい。もちろん、斜面《しゃめん》が急《きゅう》であるほど、転《ころ》がるスピードも速《はや》くなるから、巻《ま》きつけるのにかかる時間《じかん》も短《みじか》くて済《す》む。

具体的《ぐたいてき》な状況《じょうきょう》を想像《そうぞう》してみよう。仮《かり》に坂道《さかみち》の傾《かたむ》きを5度《ど》とすると、斜面《しゃめん》に沿《そ》って5・2km進《すす》むと、スタートとゴールの標高差《ひょうこうさ》は450mになる。エリザベスはまず、190kgの布《ぬの》を担《かつ》いで、この斜面《しゃめん》をエッチラオッチラ登《のぼ》りながら布《ぬの》を敷《し》いていく。そして、5・2km敷《し》き終《お》えたら、ゴロリと横《よこ》になって、そこから一気《いっき》に転《ころ》がり下《お》りる!

斜面《しゃめん》を転《ころ》がるのだから、スピードはどんどん上《あ》がっていく。同時《どうじ》に、体《からだ》に巻《ま》きついた布《ぬの》の玉《たま》はずんずん大《おお》きくなっていく。遠《とお》くから見《み》たら、雪《ゆき》だるまを作《つく》っているのかと思《おも》うだろう。

筆者《ひっしゃ》の計算《けいさん》によると、この方法《ほうほう》で布《ぬの》を巻《ま》き終《お》わるのに要《よう》する時間《じかん》は、たったの3分《ぷん》11秒《びょう》!5・2kmもの布《ぬの》をこれほど短時間《たんじかん》で巻《ま》き終《お》える方法《ほうほう》はこれしかないぞ、エリザベス。われながら

素晴《すば》らしいアイデアである！
ただし、巻《ま》き終《お》わった直後《ちょくご》のスピードは、時速《じそく》２００kmに達《たっ》している。何《なに》かにぶつかったりしたら大惨事《だいさんじ》は間違《まちが》いナシ！というか、何《なに》にもぶつからないことなんて、あるのかな？
ダルマさん状態《じょうたい》になるまで、自分《じぶん》の全身《ぜんしん》に布《ぬの》を巻《ま》きつけるということは、これほどまでに大《たい》変《へん》なことなのだ。まさに大作《たいさく》の冒頭《ぼうとう》を飾《かざ》るにふさわしい、ヒロインの登場《とうじょう》シーンである。ああ、検証《けんしょう》してヨカッタ。

とっても気《き》になるアニメの疑問《ぎもん》

サザエさん一家《いっか》は なぜ歳《とし》を取《と》らないのでしょうか？

あれは忘《わす》れもしない、筆者《ひっしゃ》が初《はじ》めて書《か》いた『空想科学読本《くうそうかがくどくほん》』が書店《しょてん》に並《なら》んで数日経《すうじつた》った頃《ころ》。担《たん》当編集者《とうへんしゅうしゃ》が1枚《まい》のハガキを持《も》ってきてくれた。彼《かれ》は「読者《どくしゃ》からのハガキ、第《だい》1号《ごう》だ。次《つぎ》の本《ほん》で扱《あつか》ってほしい質問《しつもん》が書《か》いてあるよ」と言《い》う。自分《じぶん》の本《ほん》を読《よ》んで、新《あら》たな質問《しつもん》が生《う》まれた！　筆者《ひっしゃ》はこれに深々《ふかぶか》と感動《かんどう》し、恭《うやうや》しくハガキを受《う》け取《と》ったのだが、そこにはこんな質問《しつもん》が書《か》いてあった。

「サザエさん一家《いっか》は、なぜ歳《とし》を取《と》らないのですか？」。

……え？　記念《きねん》すべき、読者《どくしゃ》からの質問第《しつもんだい》1号《ごう》がこれ!?

『サザエさん』に登場《とうじょう》する人々《ひとびと》は、確《たし》かに誰《だれ》も歳《とし》を取《と》らず、不思議《ふしぎ》といえば猛烈《もうれつ》に不思議《ふしぎ》だ。しかし、さすがにこればかりは、科学《かがく》の出《で》る幕《まく》はないのでは……!?

そう思《おも》った筆者《ひっしゃ》は、せっかくのこの質問《しつもん》に答《こた》えないまま、長《なが》い歳月《さいげつ》を過《す》ごしてしまった。そして、そのあいだにさまざまな研究《けんきゅう》を行《おこな》い、いろいろ経験《けいけん》を積《つ》んできた。よし、ここらで一発《いっぱつ》、この大難問《だいなんもん》に挑戦《ちょうせん》するとしようか。

◆毎日毎日愉快《まいにちまいにちゆかい》なサザエさん!

公式設定《こうしきせってい》によれば、アニメ『サザエさん』のサザエさんは24歳《さい》、マスオさんは28歳《さい》、カツオは11歳《さい》、ワカメは9歳《さい》、タラちゃんは3歳《さい》、波平《なみへい》さんは54歳《さい》、フネさんは50代《だい》(ご本人《ほんにん》が年齢《ねんれい》を教《おし》えてくださらないらしい)。アニメが始《はじ》まった1969年《ねん》以来《いらい》、本書刊行《ほんしょかんこう》の2017年《ねん》に至《いた》るまでの48年間《ねんかん》、ず〜っとこの年齢《ねんれい》だという。

小説《しょうせつ》やマンガやアニメなどで、劇中《げきちゅう》の時間《じかん》の流《なが》れ方《かた》は、作品《さくひん》によって大《おお》きく違《ちが》う。手塚治虫先生《てづかおさむせんせい》の『火《ひ》の鳥《とり》 未来編《みらいへん》』では、生命《せいめい》の誕生《たんじょう》から滅亡《めつぼう》までという気《き》の遠《とお》くなるような長《なが》い時間《じかん》が、たった1冊《さつ》のなかで描《えが》かれた。逆《ぎゃく》に、バスケットマンガ『SLAM DUNK《スラムダンク》』は全《ぜん》31巻《かん》もの長編《ちょうへん》ながら、そこで描《えが》かれたのは4ヵ月間《げつかん》の物語《ものがたり》だ。文庫本《ぶんこぼん》で1500ページもあるドストエフスキーの小説《しょうせつ》『罪《つみ》と罰《ばつ》』も、たった3日間《かかん》のできごとを克明《こくめい》に綴《つづ》っている。

つまり、短時間《たんじかん》の物語《ものがたり》を、長《なが》い時間《じかん》をかけて描《えが》くのは、文学《ぶんがく》の表現手法《ひょうげんしゅほう》の一《ひと》つなのだ。『サザエさん』もこのタイプの物語《ものがたり》なのでは……!?

いやいや、そうではないだろう。『サザエさん』では、春《はる》の放送《ほうそう》では春《はる》の花《はな》が咲《さ》き、夏休《なつやす》みにはカツオが宿題《しゅくだい》に苦《くる》しみ、年末《ねんまつ》にはマスオさんが忘年会《ぼうねんかい》で酔《よ》っぱらう。物語《ものがたり》のなかでは、現実世界《げんじつせかい》と同《おな》じペースで時間《じかん》が流《なが》れているのだ。なのに、登場人物《とうじょうじんぶつ》は誰《だれ》も歳《とし》を取《と》らない。今年《ことし》11歳《さい》のカツオは、来年《らいねん》も11歳《さい》、再来年《さらいねん》も11歳《さい》、何年《なんねん》経《た》っても11歳《さい》……。実《じつ》に不思議《ふしぎ》である。

もしかすると、『サザエさん』は、ある年《とし》の1年間《ねんかん》を、繰《く》り返《かえ》し描《えが》いているのだろうか。番組《ばんぐみ》を見《み》たところ、2017年《ねん》9月《がつ》10日《か》に放送《ほうそう》されたのは、作品《さくひん》№《ナンバー》7667、7657、7687の3本《ぼん》。『サザエさん』が1年間《ねんかん》の物語《ものがたり》だとしたら、たった365日《にち》から、これまでに7600を超《こ》えるエピソードが生《う》まれたことになる。1日平均《にちへいきん》なんと21エピソード！　毎日毎日《まいにちまいにち》、劇的《げきてき》なできごとが21も起《お》こるとは、磯野家《いそのけ》は日本《にほん》でいちばん濃密《のうみつ》な日々《ひび》を送《おく》っている一家《いっか》であろう。

家族旅行《かぞくりょこう》に注目《ちゅうもく》しても、一家《いっか》の生活《せいかつ》の濃密《のうみつ》さに驚《おどろ》く。磯野一家《いそのいっか》は、過去《かこ》48年間《ねんかん》に確認《かくにん》できただけで36ヵ所《しょ》に旅行《りょこう》している。『サザエさん』が「磯野家《いそのけ》の1年《ねん》」を描《えが》いた物語《ものがたり》だとすると、平均《へいきん》して10日《か》に一度《いちど》は家族旅行《かぞくりょこう》という極端《きょくたん》なハイペース！　明《あき》らかに、旅行《りょこう》しすぎの家族《かぞく》である。

ところが、旅行先《りょこうさき》を見《み》ると「ある1年間《ねんかん》の物語《ものがたり》」という仮説《かせつ》はガラガラと崩《くず》れる。磯野家《いそのけ》は70

年《ねん》に大阪万博《おおさかばんぱく》、75年《ねん》に沖縄海洋博《おきなわかいようはく》、２００5年《ねん》に愛知万博《あいちばんぱく》を訪《おとず》れているのだ。日常生活《にちじょうせいかつ》でも、炊飯器《すいはんき》、洗濯機《せんたくき》、冷蔵庫《れいぞうこ》などは、いつも東芝《とうしば》の最新製品《さいしんせいひん》を使《つか》っている。ということは、作品世界《さくひんせかい》のなかでも、やはり現実《げんじつ》と同《おな》じ46年《ねん》の月日《つきひ》が流《なが》れている……。そう考《かんが》えるしかないだろう。

◆なぜ歳《とし》を取《と》らないの？

時間《じかん》は流《なが》れているのに、磯野家《いそのけ》の人々《ひとびと》は変化《へんか》しない。科学的《かがくてき》にこれを考《かんが》えると、カツオやワカメやタラちゃんは「成長《せいちょう》」せず、サザエさんたち大人《おとな》は「老化《ろうか》」しないことになる。

まず、成長《せいちょう》しない不思議《ふしぎ》を考《かんが》えよう。子《こ》どもが大《おお》きくなるのは、成長《せいちょう》ホルモンのおかげだから、カツオたちが成長《せいちょう》しないとしたら、成長《せいちょう》ホルモンが出《で》ていない可能性《かのうせい》がある。成長《せいちょう》ホルモンには、炭水化物《たんすいかぶつ》などの消費《しょうひ》を進《すす》める働《はたら》きもあるから、これが出《で》ないと、炭水化物《たんすいかぶつ》が消費《しょうひ》されず、身長《しんちょう》が伸《の》びないうえに、横《よこ》にだけドンドン太《ふと》ってしまうかも……。

一方《いっぽう》、大人《おとな》たちが老化《ろうか》しないのは、なぜだろう。大人《おとな》の体《からだ》も、細胞分裂《さいぼうぶんれつ》によっていつも新《あたら》しく作《つく》り変《か》えられている。それが老化《ろうか》する理由《りゆう》には「プログラム説《せつ》」と「エラー説《せつ》」の二《ふた》つがある。

「プログラム説《せつ》」は、細胞《さいぼう》は分裂《ぶんれつ》できる回数《かいすう》が初《はじ》めから決《き》まっている、というもの。その回数《かいすう》に達《たっ》すると、もう新《あたら》しい細胞《さいぼう》は作《つく》られず、いまある細胞《さいぼう》が老化《ろうか》するだけになる。波平《なみへい》さんが老化《ろうか》しないとすると、彼《かれ》はいつまでも分裂《ぶんれつ》できるという驚異《きょうい》の細胞《さいぼう》を有《ゆう》することになるが、だとしたら、なぜ頭《あたま》のてっぺんに髪《かみ》が1本《ぽん》だけという、中途半端《ちゅうとはんぱ》なところで老化《ろうか》が止《と》まったのかなあ？

「エラー説《せつ》」は、細胞《さいぼう》はいつも正《ただ》しく分裂《ぶんれつ》できるとは限《かぎ》らず、たまに機能《きのう》の劣《おと》る細胞《さいぼう》が作《つく》られる、というもの。これは癌《がん》の原因《げんいん》の一《ひと》つとも考《かんが》えられている。もし、波平《なみへい》さんの細胞《さいぼう》がエラーを起《お》こさないとすれば、波平《なみへい》さんは癌《がん》にもかからないわけで、まことに慶賀《けいが》の至《いた》りである。

◆マスオさんは出世《しゅっせ》できない！

磯野一家《いそのいっか》が成長《せいちょう》も老化《ろうか》もしなければ、『サザエさん』の世界《せかい》はつつがなく保《たも》たれるのか？

もちろん、見《み》た目《め》が変《か》わらなくても、誰《だれ》でも誕生日《たんじょうび》が来《き》たら、年齢《ねんれい》は自動的《じどうてき》に1歳加算《さいかさん》される。タラちゃんにしても、「タマがいないでしゅ」などと泣《な》きべそをかいていようといまいと、48年《ねん》も経《た》てば、年齢《ねんれい》は51歳《さい》になっているはずなのだ。あれで51歳《さい》！　なんだか怖《こわ》いな、それ。

しかし、『サザエさん』の世界《せかい》では、あくまで見《み》た目《め》が重視《じゅうし》されるのか、学校《がっこう》がカツオやワカメを進級《しんきゅう》させる気配《けはい》はない。カツオは、はるか昔《むかし》から5年《ねん》3組《くみ》。しかも、花沢《はなざわ》さんとは席《せき》がずっと隣同士《となりどうし》。48年《ねん》もいっしょだと、もう熟年夫婦《じゅくねんふうふ》も同然《どうぜん》だと思《おも》う。

このような世界《せかい》には、気《き》の毒《どく》な人《ひと》たちも出《で》てくる。伊佐坂先生《いさかせんせい》の息子《むすこ》の甚六《じんろく》さんは、85年《ねん》に磯《いそ》

成長《せいちょう》も老化《ろうか》もない世界《せかい》…

野家《のけ》の隣《となり》に引《ひ》っ越《こ》してきて以来《いらい》、ずっと浪人生《ろうにんせい》。少《すく》なくとも32浪《ろう》！　マスオさんは48年間《ねんかん》ず〜っと係長《かかりちょう》。もはや出世《しゅっせ》は望《のぞ》めないでしょうなあ。

う〜む。磯野家《いそのけ》の人々《ひとびと》の年齢《ねんれい》問題《もんだい》は、結局《けっきょく》まったく解決不能《かいけつふのう》。このままいくと、どうなるんだろう？　ある日《ひ》、止《と》まっていた磯野家《いそのけ》の時間《じかん》が、突然《とつぜん》流《なが》れ始《はじ》めて、みんな浦島太郎《うらしまたろう》のように一《いっ》気《き》に老人化《ろうじんか》するとか……。いや、それはそれで怖《こわ》いから、磯野家《いそのけ》の皆《みな》さんは、いつまでもいまのままでいてください。

とっても気《き》になる特撮《とくさつ》の疑問《ぎもん》

悪《あく》の組織《そしき》の世界征服作戦《せかいせいふくさくせん》には、スケールの小《ちい》さなものもありますか？

　これまでの『ジュニア空想科学読本《くうそうかがくどくほん》』でも、1970年代《ねんだい》に放送《ほうそう》されたヒーロー番組《ばんぐみ》における「悪《あく》の秘密結社《ひみつけっしゃ》の作戦《さくせん》」をいろいろ検証《けんしょう》してきた。それらの原稿《げんこう》を書《か》きながら気《き》づいたのは、悪《あく》の作戦《さくせん》はスケールに大《おお》きな差《さ》があるなあ、ということだ。四国《しこく》を空母《くうぼ》にしようと画策《かくさく》（そんな計画《けいかく》を立《た》てた悪《あく》の組織《そしき》があったのだ）する一方《いっぽう》で、幼稚園《ようちえん》バスを襲撃《しゅうげき》したりしている。どちらも目指《めざ》すは世界征服《せかいせいふく》。同《おな》じ目標《もくひょう》に対《たい》して、なぜやることがそこまで違《ちが》う!?

『ジュニア空想科学読本《くうそうかがくどくほん》②』では「富士山爆発《ふじさんばくはつ》！　東京《とうきょう》フライパン作戦《さくせん》」というスケールの大《おお》きい作戦《さくせん》を紹介《しょうかい》したので、今回《こんかい》はその逆《ぎゃく》の、スケールの小《ちい》さな作戦《さくせん》を取《と》り上《あ》げよう。

『キカイダー01』でシャドウが実行《じっこう》した「郵便局乗《ゆうびんきょくの》っ取《と》り作戦《さくせん》」と、『人造人間《じんぞうにんげん》キカイダー』で
ダークが画策《かくさく》した「科学者《かがくしゃ》の婚約者殺害計画《こんやくしゃさつがいけいかく》」だ。あまりにスケールが小《ちい》さくて、一《ひと》つだけだと
2ページくらいで終《お》わっちゃうから、2本連続《ほんれんぞく》で紹介《しょうかい》しましょー。

◆ニセの手紙《てがみ》で世界《せかい》を混乱《こんらん》させる！

『キカイダー01』の世界大犯罪組織《せかいだいはんざいそしき》シャドウが実行《じっこう》した「郵便局乗《ゆうびんきょくの》っ取《と》り作戦《さくせん》」。その内容《ないよう》は、
次《つぎ》のとおりであった。

①松山町郵便局《まつやまちょうゆうびんきょく》を襲撃《しゅうげき》して閉鎖《へいさ》させる
②近《ちか》くの荒《あ》れ地《ち》に、新《あら》たな松山町郵便局《まつやまちょうゆうびんきょく》を作《つく》る
③手紙《てがみ》の内容《ないよう》を書《か》き換《か》えて、配達《はいたつ》する

作戦《さくせん》を立《た》てたハカイダーによれば「本物《ほんもの》の手紙《てがみ》を破《やぶ》り捨《す》て、ニセの手紙《てがみ》を配達《はいたつ》し、人間《にんげん》の信頼《しんらい》
感《かん》をズタズタにし、世界《せかい》を大混乱《だいこんらん》に陥《おとしい》れる」のだという。
なるほど、確《たし》かにひどい犯罪《はんざい》だ。刑法《けいほう》や郵便法《ゆうびんほう》などの法律《ほうりつ》にも違反《いはん》しまくりだし、請求書《せいきゅうしょ》や契《けい》
約書《やくしょ》などを書《か》き換《か》えたりすれば社会《しゃかい》は大混乱《だいこんらん》に陥《おちい》るに違《ちが》いない。
とはいえ、手紙《てがみ》の内容《ないよう》を書《か》き換《か》えるというのは、大変《たいへん》ではないか？　まず、本物《ほんもの》の手紙《てがみ》を読《よ》ん

で用件《ようけん》を理解《りかい》し、差出人《さしだしにん》と受取人《うけとりにん》の人間関係《にんげんかんけい》や近況《きんきょう》を把握《はあく》しなければならない。そのうえで、筆跡《ひっせき》を忠実《ちゅうじつ》にマネてニセの手紙《てがみ》を書《か》く必要《ひつよう》がある。当時《とうじ》の手紙《てがみ》はほとんどが手書《てが》きだったから、モノスゴク手間《てま》がかかったでしょうな〜。

さらに、請求書《せいきゅうしょ》や契約書《けいやくしょ》など重要《じゅうよう》な文書《ぶんしょ》には印鑑《いんかん》が押《お》されている。これも偽造《ぎぞう》したのだろうが、印鑑《いんかん》の偽造《ぎぞう》は筆跡《ひっせき》のマネより大変《たいへん》だったのでは……。

量《りょう》の面《めん》でも問題《もんだい》だ。番組《ばんぐみ》が放送《ほうそう》された１９７３年《ねん》、全国《ぜんこく》の郵便局《ゆうびんきょく》はおよそ２万《まん》１千局《せんきょく》。集配《しゅうはい》された郵便物《ゆうびんぶつ》は１年間《ねんかん》で１４０億通《おくつう》。１局《きょく》あたり１日平均《にちへいきん》１８００通《つう》である。右《みぎ》のような作業《さぎょう》には、１通《つう》あたり１時間《じかん》はかかるのではないか。すると24時間体制《じかんたいせい》でも76人《にん》もの人員《じんいん》が必要《ひつよう》だ。

さて、これほど苦労《くろう》して、期待《きたい》した成果《せいか》は得《え》られたのだろうか？

◆えっ、意外《いがい》に効果《こうか》があった!?

劇中《げきちゅう》、松山町《まつやまちょう》では、あちこちで言《い》い争《あらそ》いが起《お》きていた。

公園《こうえん》で若《わか》い男女《だんじょ》が「この手紙《てがみ》は何《なん》だ！」「あなたの手紙《てがみ》こそ何《なに》よ！」「君《きみ》はちっとも僕《ぼく》のことをわかっていないんだ！」「最低《さいてい》よ。少《すこ》しぐらい財産《ざいさん》があると思《おも》ってのぼせないで！」。

路上《ろじょう》で女性《じょせい》２人《ふたり》が「支店長《してんちょう》の奥《おく》さん、よくこんな手紙《てがみ》をくださいましたわね」「お宅《たく》こそ何《なん》ですか、上役《うわやく》の妻《つま》に向《む》かってこの手紙《てがみ》は。こんなことだからお宅《たく》のご主人《しゅじん》は出世《しゅっせ》できないんです」
「そりゃ主人《しゅじん》はダメでも、うちの子《こ》どもはオール5です。お宅《たく》のお子《こ》さんなんかオール3のくせに」「まあ〜っ、悔《くや》しい！」。

うひょ〜っ、見事《みごと》にだまされてるじゃないか、松山町《まつやまちょう》の人々《ひとびと》！

などとうっかり感心《かんしん》してしまうが、町内《ちょうない》での諍《いさか》いは起《お》こせても、これが日本規模《にほんきぼ》、世界規模《せかいきぼ》の混乱《こんらん》に拡大《かくだい》していくのはいつの日《ひ》だろう？　たとえば、日本全国《にほんぜんこく》を大混乱《だいこんらん》に陥《おとしい》れるには、少《すく》なくとも全国《ぜんこく》の郵便局《ゆうびんきょく》の1割《わり》を乗《の》っ取《と》り、同《おな》じような作戦《さくせん》を実行《じっこう》する必要《ひつよう》があるだろう。その場合《ばあい》、手紙《てがみ》を捏造《ねつぞう》するのに必要《ひつよう》な人員《じんいん》は16万人《まんにん》！

それだけの手下《てした》がいるなら、郵便業務《ゆうびんぎょうむ》など放《ほう》っておいて、全員《ぜんいん》でキカイダー01を袋叩《ふくろだた》きにするのが世界征服《せかいせいふく》への近道《ちかみち》だと、筆者《ひっしゃ》は思《おも》う。

劇中《げきちゅう》ではその後《ご》、キカイダー01によってニセ松山町郵便局《まつやまちょうゆうびんきょく》が破壊《はかい》され、シャドウの夢《ゆめ》は露《つゆ》と消《き》えていた。ほらね、まずはヒーローを倒《たお》そうよ。

◆スケールの小《ちい》さい作戦《さくせん》No.《ナンバー》1は？

町内《ちょうない》のモメごとを招《まね》いた「郵便局乗《ゆうびんきょくの》っ取《と》り作戦《さくせん》」よりも、さらにスケールの小《ちい》さい作戦《さくせん》がある。

『人造人間《じんぞうにんげん》キカイダー』の第《だい》23話《わ》「キイロアリジゴク三兄弟見参《さんきょうだいけんざん》！」で展開《てんかい》された「加藤《かとう》アヤ子《こ》殺害計画《さつがいけいかく》」だ。

物語《ものがたり》の冒頭《ぼうとう》で、悪《あく》の秘密結社《ひみつけっしゃ》ダークを率《ひき》いるプロフェッサー・ギルが、女性《じょせい》の顔写真《かおじゃしん》を映《うつ》し出《だ》しながら、オドロオドロしげに説明《せつめい》する。

「加藤《かとう》アヤ子《こ》。この女《おんな》は明日《あす》、ヨーロッパから帰《かえ》ってくるロボット工学《こうがく》の若手助教授《わかてじょきょうじゅ》・横井川久《よこいがわひさ》晴《はる》と結婚式《けっこんしき》を挙《あ》げる。２人《ふたり》は5年越《ねんご》しの恋《こい》をしていた……」。

5年越《ねんご》しの恋《こい》！　そんな言葉《ことば》が、悪《あく》の権化《ごんげ》のようなギル教授《きょうじゅ》の口《くち》から出《で》てこようとは思《おも》わなかったが、世界征服《せかいせいふく》を狙《ねら》うダークは、若《わか》い科学者《かがくしゃ》の恋愛事情《れんあいじじょう》まで把握《はあく》しているのか。すごい情報収《じょうほうしゅう》集力《しゅうりょく》だ。驚《おどろ》きながら見《み》ていると、ギルはこう続《つづ》ける。

「横井川助教授《よこいがわじょきょうじゅ》は、このアヤ子《こ》との結婚《けっこん》によって、今後《こんご》ますます研究《けんきゅう》に力《ちから》を注《そそ》ぐことだろう。将《しょう》来《らい》は光明寺《こうみょうじ》に匹敵《ひってき》するロボット工学《こうがく》の第一人者《だいいちにんしゃ》になることは、ほぼ間違《まちが》いない」。

ほう。結婚《けっこん》すると、研究《けんきゅう》に力《ちから》を注《そそ》ぐ。顔《かお》に似合《にあ》わず、前向《まえむ》きな結婚観《けっこんかん》ですな。だったらあんたも結婚《けっこん》すれば、世界征服《せかいせいふく》も少《すこ》しは近《ちか》づくんじゃないか。だが、ギルは自《みずか》らを省《かえり》みることなく、計《けい》画《かく》を発表《はっぴょう》した。

「明日《あす》の結婚《けっこん》を中止《ちゅうし》させる。加藤《かとう》アヤ子《こ》を殺《ころ》すのだ！」。

えーっ、結婚《けっこん》を阻止《そし》するために婚約者《こんやくしゃ》を殺《ころ》す!? いずれダークの敵《てき》になるのは横井川助教授《よこいがわじょきょうじゅ》なんだから、殺《ころ》すとしたらそっちじゃないの?

だが、命令《めいれい》は下《くだ》された。ギルの手下《てした》のロボット・アンドロイドマンがアヤ子《こ》さんを追《お》い回《まわ》し、キイロアリジゴクが待《ま》ち構《かま》えるアリ地獄《じごく》に落《お》とす! そこに、ボクらの人造人間《じんぞうにんげん》キカイダーが現《あらわ》れ、アヤ子《こ》さんを逃《に》がすと、キイロアリジゴクはこう恫喝《どうかつ》する。「キカイダー、加藤《かとう》アヤ子《こ》の明日《あす》の結婚式《けっこんしき》を中止《ちゅうし》しろ。さもないと、加藤《かとう》アヤ子《こ》の命《いのち》は必《かなら》ずもらうぞ」。

おいっ、なんかビミョ〜に計画《けいかく》が変《か》わってないか？　アヤ子《こ》さんを殺《ころ》すとか言《い》ってたのに、もはや「結婚式《けっこんしき》の中止《ちゅうし》」が目的《もくてき》になっているぞ。

そもそも、キカイダーは2人《ふたり》の結婚《けっこん》には何《なん》の関係《かんけい》もないし、横井川助教授《よこいがわじょきょうじゅ》がアヤ子《こ》さんとの結《けっ》婚《こん》をあきらめたからといって、彼《かれ》がロボット工学《こうがく》の研究《けんきゅう》をあきらめるとは限《かぎ》らんだろう。いずれ新《あたら》しい恋人《こいびと》ができて、その人《ひと》と結婚《けっこん》したら、ますます研究《けんきゅう》に力《ちから》を注《そそ》ぐ……。やっぱり本人《ほんにん》に手《て》を下《くだ》さない限《かぎ》り、問題《もんだい》は解決《かいけつ》しないと思《おも》うんだけど。

ダークの健闘《けんとう》も空《むな》しく、ついに結婚式《けっこんしき》が始《はじ》まる。丘《おか》の上《うえ》の教会《きょうかい》で、新郎新婦《しんろうしんぷ》を待《ま》つ神父《しんぷ》。その正体《しょうたい》はキイロアリジゴクだった。いよいよ水際作戦《みずぎわさくせん》かい！　だが、味方《みかた》もさるもの、新郎新婦《しんろうしんぷ》にはキカイダーとその仲間《なかま》が化《ば》けていた。キカイダーはキイロアリジゴク3兄弟《きょうだい》を倒《たお》し、結婚式《けっこんしき》はつつがなく執《と》り行《おこな》われたのだった。

ああ、これは本当《ほんとう》に情《なさ》けない。ダークはロボットを3体《たい》も投入《とうにゅう》して、結婚式《けっこんしき》の邪魔《じゃま》さえできなかったのである。そんな連中《れんちゅう》が世界征服《せかいせいふく》？　無理《むり》だと思《おも》うなあ。

シャドウもダークも、子《こ》どもの頃《ころ》の筆者《ひっしゃ》に「この世《よ》に悪《あく》は栄《さか》えない」と教《おし》えてくれた。おかげで筆者《ひっしゃ》は、悪《あく》の道《みち》に入《はい》らずに済《す》んだのかも。人生《じんせい》の師《し》とも仰《あお》ぐべき、悪《あく》の秘密結社《ひみつけっしゃ》であった。

とっても気《き》になるマンガの疑問《ぎもん》

『進撃《しんげき》の巨人《きょじん》』の巨人《きょじん》は、頭《あたま》を吹《ふ》き飛《と》ばされてもすぐに再生《さいせい》します。いったいなぜですか？

大《だい》ヒットした『進撃《しんげき》の巨人《きょじん》』は恐《おそ》ろしいマンガである。……って、前作《ぜんさく》『ジュニア空想《くうそう》科学《かがく》読《どく》本《ほん》④』で、この作品《さくひん》を取《と》り上《あ》げたときも、同《おな》じ書《か》き出《だ》しだったなあ。プロの書《か》き手《て》として、いかがなものかと思《おも》うものの、本当《ほんとう》に怖《こわ》いんだもん、このマンガ！

いったい何《なに》が、そんなに怖《こわ》いのか。巨人《きょじん》は大《おお》きいだけで、火《ひ》も光線《こうせん》も出《だ》さないし、空《そら》も飛《と》ばないし、おまけに全裸《ぜんら》じゃん！　オチンチンもないじゃん！

いやいや、その恐怖《きょうふ》の源《みなもと》は、もちろん人間《にんげん》を食《た》べること。それに加《くわ》えて、「驚異《きょうい》の再生能力《さいせいのうりょく》」がオソロシイと筆者《ひっしゃ》は思《おも》います。

巨人《きょじん》は、うなじの肉《にく》をそぎ落《お》とされない限《かぎ》り、体《からだ》のどこを破壊《はかい》されても、たちまち再生《さいせい》する。なにしろ、頭《あたま》を大砲《たいほう》で吹《ふ》き飛《と》ばされても、1〜2分《ふん》で元《もと》どおりになるのだ。それっていったい、どんな生物《せいぶつ》だ!?

◆細胞分裂《さいぼうぶんれつ》がモーレツに速《はや》い！

再生《さいせい》再生《さいせい》とおびえているが、人間《にんげん》も再生能力《さいせいのうりょく》を持《も》っている。たとえば、皮膚《ひふ》が傷《きず》ついても、1週間《しゅうかん》から10日《か》で傷《きず》はふさがる。骨折《こっせつ》しても、折《お》れた部分《ぶぶん》を接触《せっしょく》させて固定《こてい》していれば、2週間《しゅうかん》から1カ月《げつ》でつながって、折《お》れる前《まえ》よりもかえって強《つよ》くなる。

これが可能《かのう》なのは、細胞分裂《さいぼうぶんれつ》のおかげだ。人間《にんげん》の体《からだ》を作《つく》る細胞《さいぼう》は、1つが100分《ぶん》の1㎜ほどの大《おお》きさで、体重《たいじゅう》1kgあたり1兆個《ちょうこ》ある。ケガをすると、傷口《きずぐち》のまわりの細胞《さいぼう》が、1個《こ》が2個《こ》に、2個《こ》が4個《こ》に、8個《こ》に、16個《こ》に……と倍々《ばいばい》で増《ふ》えていって、傷口《きずぐち》をふさいでくれるのだ。

巨人《きょじん》がたちまち再生《さいせい》できるのも、同《おな》じように細胞分裂《さいぼうぶんれつ》によるもの、と考《かんが》えるのが自然《しぜん》だろう。

ただし、彼《かれ》らは再生《さいせい》のスピードが半端《はんぱ》ではない！

人間《にんげん》の皮膚《ひふ》が再生《さいせい》するのに10日《か》かかるとすると、それは240時間《じかん》＝1万《まん》4400分《ぷん》だ。これに対《たい》して、巨人《きょじん》は頭部《とうぶ》が吹《ふ》き飛《と》ばされても、2分《ふん》もあれば元《もと》に戻《もど》る。単純《たんじゅん》に比較《ひかく》すると、巨人《きょじん》の細胞分裂《さいぼうぶんれつ》は人間《にんげん》の7200倍《ばい》も速《はや》いことになる。

7200倍《ばい》というのは、大変《たいへん》な違《ちが》いである。たとえば、人間《にんげん》が普通《ふつう》に歩《ある》く速《はや》さは時速《じそく》4㎞だが、その7200倍《ばい》とは時速《じそく》2万《まん》8800㎞＝マッハ24。国際宇宙《こくさいうちゅう》ステーションよりやや速《はや》く、地球《ちきゅう》を83分《ぷん》で1周《しゅう》するという猛烈《もうれつ》なスピードだ。つまり、巨人《きょじん》の細胞《さいぼう》は、人間《にんげん》の細胞《さいぼう》よりはるかに優秀《ゆうしゅう》なのである。うげげげ。

◆ここはどこ？　私《わたし》は誰《だれ》？

厄介《やっかい》なのは、再生《さいせい》のスピードが速《はや》いうえに、全身《ぜんしん》のどこを損傷《そんしょう》しても再生《さいせい》することだ。人間《にんげん》の体《からだ》で再生《さいせい》できるのは、皮膚《ひふ》や骨《ほね》や筋肉《きんにく》や血管《けっかん》など、単純《たんじゅん》なつくりの場所《ばしょ》に限《かぎ》られる。指《ゆび》や手足《てあし》を切《き》り落《お》としたりすると、再生《さいせい》しない。

これは指《ゆび》や手足《てあし》が、骨《ほね》、筋肉《きんにく》、皮膚《ひふ》、脂肪《しぼう》、血管《けっかん》、神経《しんけい》でできた複雑《ふくざつ》な構造《こうぞう》をしているためだ。手足《てあし》が再生《さいせい》するには、すべての部分《ぶぶん》が、他《ほか》と調和《ちょうわ》しながら元《もと》どおりになる必要《ひつよう》がある。もちろん、人間《にんげん》の体《からだ》には、そうした機能《きのう》は備《そな》わっていない。

また、神経《しんけい》も、手足《てあし》などに比《くら》べれば単純《たんじゅん》なつくりだが、再生《さいせい》はしない。神経《しんけい》は母親《ははおや》の胎内《たいない》にいるあいだに、細胞分裂《さいぼうぶんれつ》する能力《のうりょく》を失《うしな》うのだ。これは人間《にんげん》にとって、残念《ざんねん》なことのように思《おも》えるが、決《けっ》してそうではない。

　脳《のう》は、神経《しんけい》の集《あつ》まりだから、もし神経《しんけい》が細胞分裂《さいぼうぶんれつ》しようものなら、脳《のう》も日《ひ》々《び》変化《へんか》してしまう。するとせっかく覚《おぼ》えた公式《こうしき》も、歴史《れきし》の年号《ねんごう》も、人《ひと》におカネを貸《か》した記憶《きおく》さえも、どこかへ行《い》ってしまう！　神経《しんけい》が細胞分裂《さいぼうぶんれつ》しないからこそ、われわれは記憶《きおく》を保《たも》つことができるし、自分《じぶん》が自《じ》分《ぶん》であり続《つづ》けられるのだ。

　ところが、巨人《きょじん》はアタマを吹《ふ》っ飛《と》ばされても、たちまち再生《さいせい》する。これは脳《のう》まで細胞分裂《さいぼうぶんれつ》するということだろうから、もうどう理解《りかい》していいのかよくわからん。再生《さいせい》した脳《のう》には、破壊《はかい》される前《まえ》の記憶《きおく》はないはずで、よみがえった巨人《きょじん》は「ここはどこ!?　私《わたし》は誰《だれ》なの!?」状態《じょうたい》になっているのではないかと思《おも》う。

　まあ、あのヒトたちは人間《にんげん》を食《た》べることしかアタマになく、自分《じぶん》が誰《だれ》なのかにも興味《きょうみ》はなさそうだから、特《とく》に困《こま》らないのかもしれないが。

◆イモリと巨人《きょじん》はどっちがすごい？

　だが、再生能力《さいせいのうりょく》が高《たか》いということは、生物《せいぶつ》として「原始的《げんしてき》」ということでもある。

自然界《しぜんかい》では、原始的《げんしてき》な動物《どうぶつ》ほど、体《からだ》のつくりが単純《たんじゅん》で、細胞《さいぼう》の種類《しゅるい》も少《すく》ないため、高《たか》い再生能《さいせいのう》

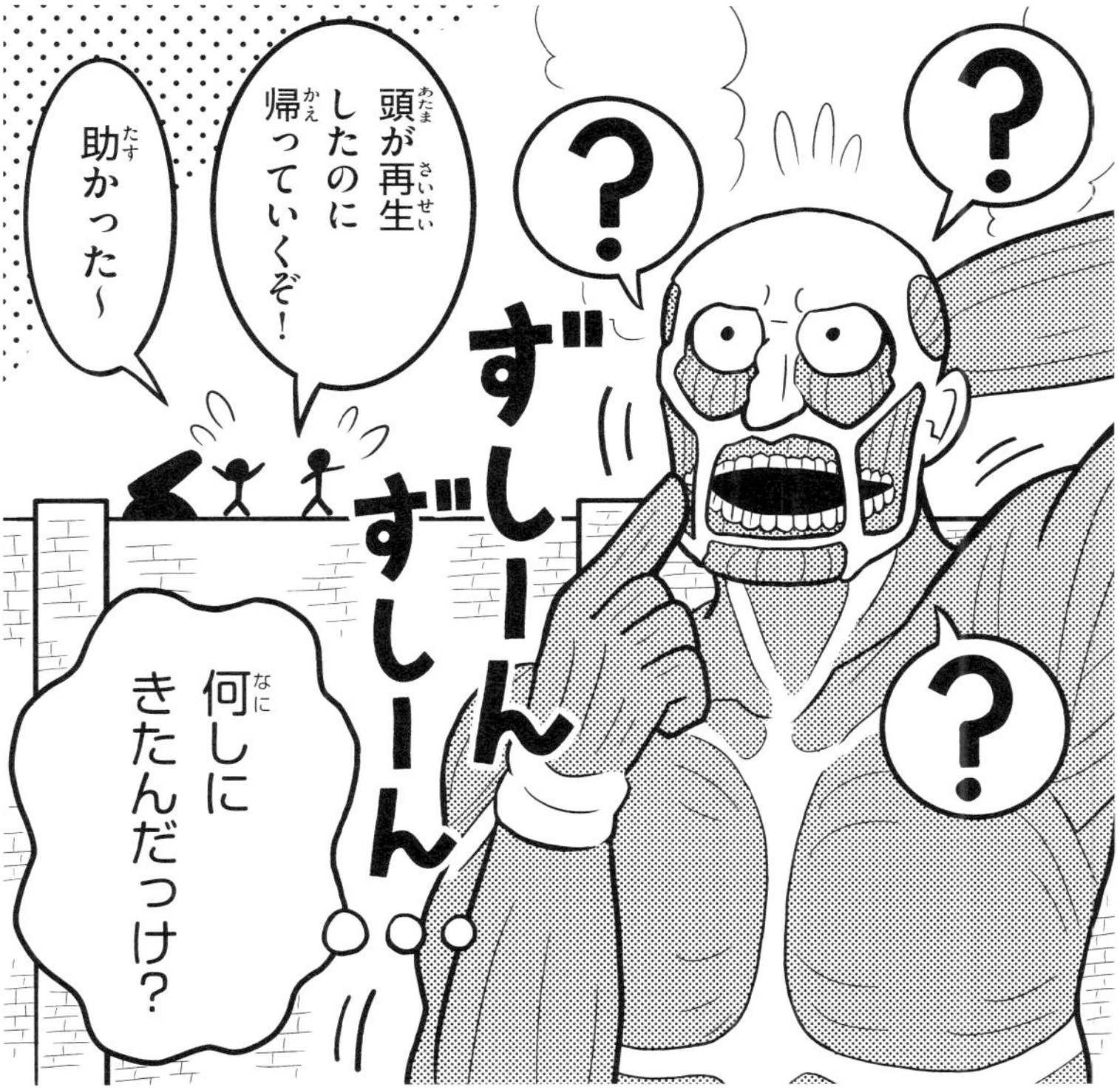

力《りょく》を持《も》っている。

たとえばトカゲは、ネコなどに尻尾《しっぽ》を押《お》さえつけられると、自《みずか》ら尻尾《しっぽ》を切《き》って逃《に》げる。「自《じ》切《せつ》」と呼《よ》ばれる行動《こうどう》で、時間《じかん》が経《た》つと皮膚《ひふ》、筋肉《きんにく》、脂肪《しぼう》などが再生《さいせい》する。トカゲは、われわれ哺乳類《ほにゅうるい》より原始的《げんしてき》なは虫類《ちゅうるい》なので、再生能力《さいせいのうりょく》が高《たか》いのだ。

それでも、骨《ほね》までは再生《さいせい》せず、代《か》わりに軟《やわ》らかい軟骨《なんこつ》ができる。また、自切《じせつ》して再生《さいせい》できる場所《ばしょ》は決《き》まっていて、人間《にんげん》にナイフなどで無理《むり》やり勝手《かって》な場所《ばしょ》を切《き》られると、再生《さいせい》しない。

ところが巨人《きょじん》は、大砲《たいほう》で全身《ぜんしん》のどこを吹《ふ》き飛《と》ばされても、平然《へいぜん》と骨《ほね》まで元《もと》どおりになる。再生《さいせい》能力《のうりょく》は、トカゲよりたくましい。これすなわち、トカゲより原始的《げんしてき》ということだ。

トカゲ(は虫類《ちゅうるい》)よりも原始的《げんしてき》なイモリ(両生類《りょうせいるい》)は、足《あし》や尻尾《しっぽ》を切《き》られても完全《かんぜん》に再生《さいせい》する。だが、頭部《とうぶ》や胴体《どうたい》を切断《せつだん》されると、さすがに再生不能《さいせいふのう》。ということは、巨人《きょじん》の再生能力《さいせいのうりょく》はイモリの追随《ついずい》すら許《ゆる》さない。イコール原始的《げんしてき》ってことですなあ。

再生能力《さいせいのうりょく》において、ボクらの巨人《きょじん》をも上回《うわまわ》るのは、ヒドラやプラナリアである。

ヒドラは体長《たいちょう》1㎝ほどで、クラゲやイソギンチャクの仲間《なかま》だ。この原始的《げんしてき》な動物《どうぶつ》は、排泄物《はいせつぶつ》を口《くち》から出《だ》す。つまり、口《くち》と肛門《こうもん》が共用《きょうよう》になっている！　うーむ……。

プラナリアは体長《たいちょう》３cm前後《ぜんご》で、サナダムシの仲間《なかま》。こちらは、肛門《こうもん》に当《あ》たる場所《ばしょ》がない。で、どうするかというと、排泄物《はいせつぶつ》は全身《ぜんしん》の細胞《さいぼう》からニジミ出《で》る！　むむむむ！

もう気《き》が遠《とお》くなりそうなほど原始的《げんしてき》だが、それだけに再生能力《さいせいのうりょく》も驚異的《きょういてき》だ。どちらも体《からだ》のどこをどう切断《せつだん》されても再生《さいせい》し、切《き》られた破片《はへん》が、すべて1匹《ぴき》1匹《ぴき》のヒドラやプラナリアになる。プラナリアは１００分《ぶん》の１、ヒドラは２００分《ぶん》の１に切《き》り刻《きざ》まれた破片《はへん》から、全身《ぜんしん》が再生《さいせい》した例《れい》があるという。

さすがの巨人《きょじん》にも、ここまでのスーパー再生能力《さいせいのうりょく》はない。口《くち》からウンコを出《だ》すほど原始的《げんしてき》なわけではないし。

だが、もし巨人《きょじん》にヒドラやプラナリアなみの再生能力《さいせいのうりょく》があったら、大変《たいへん》なことになっていた。大砲《たいほう》でぶっ飛《と》ばした破片《はへん》が、すべてウネウネウヨウヨと巨人《きょじん》になる。キモチ悪《わる》い！で済《す》めば、まだ幸《しあわ》せだ。攻撃《こうげき》すればするほど、敵《てき》が増殖《ぞうしょく》していくのだから、人類《じんるい》にまったく勝《か》ち目《め》はない。巨《きょ》人《じん》の再生能力《さいせいのうりょく》がプラナリアなどに及《およ》ばないのは、本当《ほんとう》に不幸中《ふこうちゅう》の幸《さいわ》いである。

以上《いじょう》のことから、代表的《だいひょうてき》な動物《どうぶつ》たちの再生能力《さいせいのうりょく》は高《たか》い順《じゅん》にこうなる。

プラナリア＞巨人《きょじん》＞イモリ＞トカゲ＞ヒト
もちろん、上《うえ》のものほど原始的《げんしてき》ということだ。イモリとプラナリアのあいだぐらい原始的《げんしてき》であるはずなのに、ヒトと同《おな》じような姿《すがた》をしている巨人《きょじん》には、もはや科学的《かがくてき》に感服《かんぷく》するしかありません。

やっぱりホントに怖《こわ》いです、あの巨人《きょじん》たち。次《つぎ》も同《おな》じ書《か》き出《だ》しをしちゃうんだろうな〜。

とっても気《き》になる絵本《えほん》の疑問《ぎもん》

『ちびくろサンボ』では、虎《とら》がぐるぐる回《まわ》ってバターになります。どういうことでしょうか？

これはもうホントーに不思議《ふしぎ》。筆者《ひっしゃ》だけでなく、『ちびくろサンボ』のお話《はなし》を知《し》っている人《ひと》なら全員《ぜんいん》、一度《いちど》は頭《あたま》の周囲《しゅうい》に「？？？」が渦巻《うずま》いたであろう大問題《だいもんだい》だ。

4頭《とう》の虎《とら》が木《き》のまわりをぐるぐる回《まわ》りながら走《はし》っているうち、やがて溶《と》けてバターになった！

いったいなぜ!?　バターと虎《とら》って、色《いろ》が似《に》てるだけじゃないの!?

まずは、『ちびくろサンボ』のお話《はなし》をおさらいしよう。

お母《かあ》さんに赤《あか》い上着《うわぎ》と青《あお》いズボンを作《つく》ってもらい、お父《とう》さんに緑色《みどりいろ》の傘《かさ》と紫色《むらさきいろ》の靴《くつ》を買《か》ってもらったサンボは、ジャングルへ散歩《さんぽ》に出《で》かけた。

すると虎《とら》がやってきて、サンボを食《た》べようとする。サンボは「上着《うわぎ》をあげるから食《た》べないで」と懇願《こんがん》して許《ゆる》され、虎《とら》は「これで俺《おれ》はジャングルでいちばん立派《りっぱ》な虎《とら》だ」と喜《よろこ》んで去《さ》っていく。ところが、その後《ご》も次《つぎ》から次《つぎ》へ虎《とら》が現《あらわ》れ、同《おな》じような交渉《こうしょう》の結果《けっか》、サンボはズボンも傘《かさ》も靴《くつ》も失《うしな》ってしまう。

サンボが泣《な》きながら歩《ある》いていくと、先《さき》ほどの4頭《とう》の虎《とら》たちが「誰《だれ》がいちばん立派《りっぱ》か!?」で争《あらそ》っている。やがて、上着《うわぎ》もズボンも傘《かさ》も靴《くつ》も振《ふ》り捨《す》てて、木《き》のまわりをぐるぐる回《まわ》り始《はじ》める4頭《とう》の虎《とら》！ サンボはその隙《すき》にすべてを取《と》り戻《もど》し、虎《とら》たちはあんまり速《はや》く走《はし》ったので、溶《と》けてバターになってしまう。お母《かあ》さんがそのバターでホットケーキを焼《や》いて、お母《かあ》さんは27枚《まい》、お父《とう》さんは55枚《まい》、サンボは169枚《まい》食《た》べましたとさ。

う〜む、そうか。サンボ一家《いっか》は虎《とら》が変化《へんか》したバターで作《つく》ったホットケーキを、確《たし》かに食《た》べたというのか。すると、虎《とら》がバターになったという話《はなし》は、劇中《げきちゅう》の事実《じじつ》と考《かんが》えていいのだろう。

しかしこれ、科学《かがく》で解決《かいけつ》するには、あまりにムズカシイ問題《もんだい》ではないかなあ。

◆バターの作《つく》り方教室《かたきょうしつ》

そもそも、バターとはいかにして作《つく》られるのか。バターの原材料《げんざいりょう》はミルク。作《つく》り方《かた》を調《しら》べると、次《つぎ》のとおりだ。
①ミルクを遠心分離機《えんしんぶんりき》にかけ、ぐるぐる回転《かいてん》させる。すると、生《なま》クリームと水《みず》に分離《ぶんり》する。水《みず》は外側《そとがわ》に、水《みず》より軽《かる》い生《なま》クリームは中心部《ちゅうしんぶ》に集《あつ》まる。
②生《なま》クリームだけを取《と》り出《だ》して別《べつ》の容器《ようき》に入《い》れ、激《はげ》しく振《ふ》る。やがて、さらに脂肪《しぼう》と水分《すいぶん》に分《わ》かれるので、脂肪《しぼう》だけを取《と》り出《だ》すと、それがバターだ。
③お好《この》みに応《おう》じて塩《しお》を加《くわ》えて、できあがり！
な〜るほど、バターの製造《せいぞう》には、回転《かいてん》が不可欠《ふかけつ》なわけだ。ということは、木《き》のまわりをぐるぐる回転《かいてん》していた虎《とら》たちがバターになったのも理《り》に適《かな》った話《はなし》で……いや、待《ま》て待《ま》て、本質《ほんしつ》を見失《みうしな》ってはならん。回《まわ》ってバターになるのは、ミルクであって、虎《とら》ではない！

つまり、虎《とら》がバターになるには、その前段階《ぜんだんかい》としてミルクになる必要《ひつよう》があるわけだ。残念《ざんねん》ながら、どうすれば虎《とら》がミルクになるかは、いくら考《かんが》えてもわからなかった。虎《とら》に限《かぎ》らず、われわれ人間《にんげん》も犬《いぬ》も猫《ねこ》も、ミルクを飲《の》んで成長《せいちょう》するが、だからといってその逆《ぎゃく》は起《お》こらない。生物《せいぶつ》の成長《せいちょう》は、後戻《あともど》りができないのだ。

だが、話《はなし》をここで終《お》えてしまったのでは、『ちびくろサンボ』の有名《ゆうめい》なナゾは、謎《なぞ》のまま永遠《えいえん》に残《のこ》る。少《すこ》しでも検証《けんしょう》を進《すす》めるために、ここでは虎《とら》がぐるぐる走《はし》り回《まわ》ることによって、毛皮《けがわ》に包《つつ》まれた肉体《にくたい》が、なぜかミルクになってしまったと仮定《かてい》して、その先《さき》を考《かんが》えよう。

◆特急電車《とっきゅうでんしゃ》なみのスピードでぐるぐる！

さて、虎《とら》がミルクになりました。このミルクを生《なま》クリームと水《みず》に遠心分離《えんしんぶんり》させるためには、どれほどの勢《いきお》いで回転《かいてん》させればいいのだろうか。

ネットで調《しら》べてみると「回転直径《かいてんちょっけい》90㎜、毎秒《まいびょう》15回転《かいてん》で1分《ぷん》」とあった。ここから計算《けいさん》すると、ミルクを生《なま》クリームと水《みず》に分離《ぶんり》させるための遠心力《えんしんりょく》は、重力《じゅうりょく》の41倍《ばい》！

これは大変《たいへん》な回転《かいてん》だ。自転車《じてんしゃ》のタイヤに同《おな》じ遠心力《えんしんりょく》を発生《はっせい》させるには、ペダルを1秒《びょう》に2・8回転《かいてん》させなければならない。そこで筆者《ひっしゃ》は自転車《じてんしゃ》を逆《さか》さにして、スポークに牛乳《ぎゅうにゅう》を入《い》れた容器《ようき》を固定《こてい》し、毎秒《まいびょう》2・8回転《かいてん》で回《まわ》してみたのだが、たった20秒《びょう》でギブアップ！　牛乳《ぎゅうにゅう》は、まったく分《ぶん》離《り》に至《いた》りませんでした。モノスゴク頑張《がんば》ったのに……。

それなのに虎《とら》たちは、自《みずか》らの足《あし》で走《はし》って、重力《じゅうりょく》の41倍《ばい》の遠心力《えんしんりょく》を生《う》み出《だ》したというのだ。いったいどんなスピードで走《はし》ったのか？

それは、虎《とら》たちが作《つく》った円《えん》の大《おお》きさから計算《けいさん》できる。物語《ものがたり》の描写《びょうしゃ》によれば、虎《とら》たちは互《たが》いを食《た》べようとして、それぞれ前《まえ》の虎《とら》の尻尾《しっぽ》をくわえて走《はし》ったという。インドに棲《す》むベンガルトラは、もっとも大《おお》きい個体《こたい》で、体長《たいちょう》２・８ｍ、尾《お》の長《なが》さ95㎝。仮《かり》に、尻尾《しっぽ》の先端《せんたん》から15㎝のあたりをくわえていたとすれば、円周《えんしゅう》14・４ｍ、直径《ちょっけい》４・６ｍの円《えん》を描《えが》いて走《はし》ったことになる。

　これで重力《じゅうりょく》の41倍《ばい》の遠心力《えんしんりょく》を生《う》む速度《そくど》とは、時速《じそく》１０９㎞だ！　陸上動物最速《りくじょうどうぶつさいそく》のチーターが時《じ》速《そく》１１３㎞といわれるが、これは直線《ちょくせん》を走《はし》ったときのスピードだ。直径《ちょっけい》４・６ｍとは、公園《こうえん》にあるジャングルジムのまわりをぐるぐる回《まわ》るようなもの。それで特急電車《とっきゅうでんしゃ》なみの時速《じそく》１０９㎞を出《だ》すとは、恐《おそ》るべき脚力《きゃくりょく》である。

　しかも、この円軌道《えんきどう》を保《たも》つには、相当《そうとう》な苦労《くろう》をしたはずだ。ベンガルトラの体重《たいじゅう》は、最大《さいだい》で３００㎏。その41倍《ばい》ということは、１頭《とう》の虎《とら》には12ｔの遠心力《えんしんりょく》が働《はたら》いたことになる。これに足《あし》の力《ちから》だけで耐《た》えるのはほぼ不可能《ふかのう》で、虎《とら》たちが回《まわ》っていられたのは、それぞれ前《まえ》の虎《とら》の尻尾《しっぽ》をくわえていたからだろう。

　それでも、虎《とら》たちは８ｔの力《ちから》で尻尾《しっぽ》をくわえていなければならない。それはインドゾウ１・５頭《とう》を口《くち》で引《ひ》っ張《ぱ》り上《あ》げるほどの力《ちから》だ！

　その力《ちから》に耐《た》えられず、尻尾《しっぽ》から口《くち》を離《はな》したり、尻尾《しっぽ》がチギレたりしたら、虎《とら》たちは円軌道《えんきどう》から外《はず》れてまっすぐ突《つ》っ走《ぱし》ってしまうことになる。するともはや遠心力《えんしんりょく》は働《はたら》かず、バターへの道《みち》は閉《と》ざされる……。

虎《とら》がバターとなるには、これほどの苦労《くろう》があったのだ。サンボ一家《いっか》は、喜《よろこ》び勇《いさ》んで大量《たいりょう》のホットケーキを味《あじ》わったが、虎《とら》たちの汗《あせ》と涙《なみだ》の結晶《けっしょう》だけに、さぞやおいしかったことだろう。

とはいえ、1人《ひとり》で169枚《まい》のホットケーキを平《たい》らげるとは、明《あき》らかに食《た》べすぎだ。ホットケーキ1枚《まい》が100gとしても、体重《たいじゅう》が一気《いっき》に17kgも増《ふ》えた計算《けいさん》になる。そんなに太《ふと》ってしまったら、せっかく取《と》り戻《もど》した上着《うわぎ》やズボンも着《き》られないと思《おも》うぞ。

とっても気《き》になるマンガの疑問《ぎもん》

『マギ』で、シンドバッドは巨大《きょだい》な水柱《みずばしら》を風《かぜ》で押《お》し戻《もど》しました。風速《ふうそく》何《なん》mの風《かぜ》を起《お》こしたの!?

巨大《きょだい》な水柱《みずばしら》を風《かぜ》で押《お》し戻《もど》す！　これだけ聞《き》くと、どれだけ凄絶《せいぜつ》な戦《たたか》いが繰《く》り広《ひろ》げられているのか!?と思《おも》うだろう。

だが、これは『マギ』の物語《ものがたり》で描《えが》かれた「魔法《まほう》のお手合《てあ》わせ」のワンシーンにすぎない。お手《て》合《あ》わせしたのは、シンドリア王国《おうこく》の王《おう》・シンドバッドと、彼《かれ》に密《ひそ》かな想《おも》いを寄《よ》せる煌帝国《こうていこく》の第八《だいはち》皇女《こうじょ》・練紅玉《れんこうぎょく》だ。

お手合《てあ》わせが始《はじ》まると、シンドバッドの偉大《いだい》な力《ちから》を目《ま》の当《あ》たりにして、紅玉《こうぎょく》は顔《かお》を赤《あか》らめて喜《よろこ》ぶ。そして彼《かれ》に促《うなが》され、極大魔法《きょくだいまほう》である「水神召海《ヴァイネル・ガネッザ》」を披露《ひろう》する。それは、海面《かいめん》を山脈《さんみゃく》のように

盛《も》り上《あ》げ、超巨大《ちょうきょだい》な水柱《みずばしら》を出現《しゅつげん》させる魔法《まほう》だった！

このままでは、水柱《みずばしら》が崩《くず》れ、島国《しまぐに》であるシンドリア王国《おうこく》は大波《おおなみ》に呑《の》み込《こ》まれてしまう。そこでシンドバッドは、「風裂斬《フォラーズ・ゾーラ》」という魔法《まほう》で、両手《りょうて》から猛烈《もうれつ》な風《かぜ》を放《はな》ち、巨大《きょだい》な水柱《みずばしら》を跡形《あとかた》もなく吹《ふ》き飛《と》ばしたのだった。

あの〜、お手合《てあ》わせなのにやりすぎじゃないスかね〜。島国一《しまぐにひと》つを呑《の》み込《こ》むほどの水柱《みずばしら》を出現《しゅつげん》させる紅玉《こうぎょく》もムチャだが、それを手《て》から出《だ》した風《かぜ》で吹《ふ》き飛《と》ばしたシンドバッドの返《かえ》し技《わざ》も、かなり危険《きけん》ではないか。お熱《あつ》い２人《ふたり》のお手合《てあ》わせを、ぜひとも冷静《れいせい》に見《み》てみよう。

◆ヘタしたら国《くに》が滅《ほろ》ぶ！

まず、紅玉《こうぎょく》が出現《しゅつげん》させた水柱《みずばしら》である。とてつもなく大《おお》きな水柱《みずばしら》だったが、波頭《はとう》の高《たか》さはどれほどだったのか？

お手合《てあ》わせは、シンドリア王国《おうこく》の宮殿《きゅうでん》の中庭《なかにわ》で始《はじ》まった。空中《くうちゅう》を舞《ま》う２人《ふたり》は、激《はげ》しい応酬《おうしゅう》を続《つづ》けながら、いつしか海上《かいじょう》へ出《で》る。そこで紅玉《こうぎょく》は水神召海《ヴァイネル・ガネッザ》を炸裂《さくれつ》させたのだが、これで出現《しゅつげん》した水柱《みずばしら》は、宮殿《きゅうでん》が小《ちい》さく見《み》えるほどの大《おお》きさだった。

シンドリア王国《おうこく》の宮殿《きゅうでん》は、世界遺産《せかいいさん》に登録《とうろく》されているイスラム建築《けんちく》「アヤ・ソフィア大聖堂《だいせいどう》」

と形《かたち》が似《に》ている。そこでシンドリア宮殿《きゅうでん》がアヤ・ソフィア大聖堂《だいせいどう》と同《おな》じ規模《きぼ》だと仮定《かてい》すれば、中央《ちゅうおう》にあるドームは高《たか》さ56m、直径《ちょっけい》31mほどということになる。

この宮殿《きゅうでん》と比較《ひかく》して計算《けいさん》すると、水柱《みずばしら》の高《たか》さは243m！　東京都庁第一本庁舎《とうきょうとちょうだいいちほんちょうしゃ》とピッタリ同《おな》じであり、東京《とうきょう》タワーの3分《ぶん》の2を超《こ》える。左右《さゆう》の幅《はば》は146mで、奥行《おくゆ》きは73m。それだけの水《みず》の体積《たいせき》は、およそ210万《まん》m³、重量《じゅうりょう》は210万《まん》tだ！

これが迫《せま》るとき、シンドバッドが風裂斬《フォラーズ・ゾーラ》の魔法《まほう》を発動《はつどう》しなかったら、どうなっていたか？　高《たか》さ243mの水柱《みずばしら》がその場《ば》で崩《くず》れたとすると、水《みず》は時速《じそく》180kmというものすごい速《はや》さで周囲《しゅうい》に広《ひろ》がっていく。直撃《ちょくげき》されたシンドリア王国《おうこく》の街《まち》は、一瞬《いっしゅん》にして壊滅《かいめつ》しただろう。おいっ、お手合《てあ》わせで国《くに》が洗《あら》い流《なが》されたら、どうするつもりだったんだ、あんたたち!?

◆そこに当《あ》てたらマズイよ

しかし、国《くに》を愛《あい》するシンドバッドは、風裂斬《フォラーズ・ゾーラ》で水柱《みずばしら》を跡形《あとかた》もなく吹《ふ》き飛《と》ばした。この風《かぜ》の魔法《まほう》は、どれほどの威力《いりょく》があったのだろうか？

計算《けいさん》してみると、水柱《みずばしら》はわずか7秒《びょう》で崩《くず》れ、周囲《しゅうい》に大津波《おおつなみ》をもたらすはずである。それを風《かぜ》で防《ふせ》ぐとしたら、水柱《みずばしら》が崩《くず》れる前《まえ》にすべて海《うみ》のほうへ吹《ふ》き飛《と》ばすしかないだろう。

これを実行《じっこう》するには、風《かぜ》の強《つよ》さも重要《じゅうよう》だが、それ以前《いぜん》に、風《かぜ》を水柱《みずばしら》のどこに当《あ》てるかがポイントになってくる。

マンガでは、シンドバッドは、両手《りょうて》のひらから渦巻《うずま》く風《かぜ》を吹《ふ》き出《だ》し、水柱《みずばしら》の真《ま》ん中《なか》あたりに当《あ》てていた。いや、そこはマズイって！

水《みず》は液体《えきたい》であり、固体《こたい》のようなひとつのかたまりではない。水《みず》の柱《はしら》の真《ま》ん中《なか》に風《かぜ》を当《あ》てると、風《かぜ》の当《あ》たった水《みず》だけは向《む》こう側《がわ》に吹《ふ》き飛《と》ばされるが、その下《した》の風《かぜ》の当《あ》たらなかった水《みず》はそのまま崩《くず》れ落《お》ちてしまう。そして津波《つなみ》となって、シンドリアに押《お》し寄《よ》せる！

こうした被害《ひがい》を出《だ》さないためには、風《かぜ》は水柱《みずばしら》のいちばん下《した》に当《あ》てて、崩《くず》れ落《お》ちてくる水《みず》を次々《つぎつぎ》に吹《ふ》き飛《と》ばすべきだ。それでも、たった7秒《びょう》で崩《くず》れ落《お》ちる２１０万《まん》tもの水《みず》をすべて吹《ふ》き飛《と》ばすには、相当《そうとう》に強《つよ》い風《かぜ》が必要《ひつよう》だ。計算《けいさん》すると、風速《ふうそく》３５００m！

これはもう、アキレるしかない強風《きょうふう》だ。通常《つうじょう》、風速《ふうそく》30mを超《こ》える風《かぜ》は、樹木《じゅもく》を倒《たお》したり家《いえ》を壊《こわ》したりするといわれる。日本《にほん》で観測《かんそく》された最大瞬間風速《さいだいしゅんかんふうそく》の記録《きろく》は、１９６６年《ねん》に富士山《ふじさん》で観測《かんそく》された風速《ふうそく》91・０m。世界《せかい》記録《きろく》は97年《ねん》にグアムで観測《かんそく》された風速《ふうそく》１０５・５m。さらに竜巻《たつまき》を加《くわ》えると、最高記録《さいこうきろく》は99年《ねん》にアメリカのオクラホマで吹《ふ》き荒《あ》れた風速《ふうそく》１４２mだ。これほどの猛烈《もうれつ》な風《かぜ》になると、列車《れっしゃ》が吹《ふ》き飛《と》ばされてしまう。

シンドバッドは、その竜巻《たつまき》より25倍《ばい》も強《つよ》い風《かぜ》を起《お》こしたのだ！　破壊力《はかいりょく》は、その25倍《ばい》を2つかけた625倍《ばい》！　このとんでもない風《かぜ》をうっかりシンドリアの街《まち》のほうに向《む》けちゃったりしたら、やっぱり国《くに》は滅《ほろ》びます。

◆宇宙《うちゅう》の果《は》てまで飛《と》んでいけ！

シンドリア王国《おうこく》が滅亡《めつぼう》を免《まぬが》れたのは、シンドバッドが風裂斬《フォラーズ・ゾーラ》の風《かぜ》を巧《たく》みにコントロールしたからだろう。だが、それだけでは済《す》まない問題《もんだい》もある。

このとき水柱《みずばしら》にぶち当《あ》たる風速《ふうそく》3500mの猛風《もうふう》は、270万《まん》tもの風圧《ふうあつ》を持《も》つ。シンドバッドはこれだけの風圧《ふうあつ》の風《かぜ》で、水柱《みずばしら》をすべて弾《はじ》き飛《と》ばしたわけだが、そんなことをすると、作用《さよう》・反作用《はんさよう》の法則《ほうそく》で、自分《じぶん》も同《おな》じ力《ちから》で後《うし》ろにぶっ飛《と》ばされるはずなのだ。そのスピードを計算《けいさん》してみると、わあっ、光速《こうそく》の8倍《ばい》という答《こた》えが出《で》てしもうた！

もちろん、この宇宙《うちゅう》ではどんなものも光《ひかり》の速《はや》さを超《こ》えられないから、実際《じっさい》には限《かぎ》りなく光速《こうそく》に近《ちか》い速《はや》さで、シンドバッドは後方《こうほう》に吹《ふ》っ飛《と》んでいくということだ。地球《ちきゅう》の重力《じゅうりょく》など軽《かる》〜く振《ふ》り切《き》って、あっという間《ま》もなく宇宙空間《うちゅうくうかん》へ。ああ、シンドリアとそれに従《したが》う国々《くにぐに》は、偉大《いだい》な王《おう》を失《うしな》うことに……。

もちろん劇中《げきちゅう》では、そんなことにはならず、シンドバッドは国《くに》を平和《へいわ》に治《おさ》め続《つづ》けた。彼《かれ》は7つの迷宮《めいきゅう》を攻略《こうりゃく》しているため、数多《かずおお》くの魔法《まほう》を使《つか》えるから、そのうちどれかを使《つか》って、自分《じぶん》がぶっ飛《と》ばされるのを防《ふせ》いだのだろう。逆《ぎゃく》にいえば、この風裂斬《フォラーズ・ゾーラ》という大魔法《だいまほう》は、風《かぜ》の魔法《まほう》しか使《つか》えない者《もの》が使《つか》った場合《ばあい》、きわめて危険《きけん》。七海《ななかい》の覇王《はおう》であるシンドバッドだからこそ、お手合《てあ》わせのなかで気軽《きがる》に使《つか》えたのだなあ。紅玉《こうぎょく》がうっとりするのも無理《むり》はないネ。

『いなかっぺ大将《たいしょう》』では、風大左エ門《かぜだいざえもん》のオナラで大爆発《だいばくはつ》が起《お》こりました。実際《じっさい》にあり得《え》ますか？

かつて大《だい》ヒットしたマンガ『巨人《きょじん》の星《ほし》』は、主人公《しゅじんこう》の星飛雄馬《ほしひゅうま》が己《おのれ》の進《すす》むべき道《みち》について、あれこれずーっと苦悩《くのう》しているシリアスな青春巨編《せいしゅんきょへん》だった。その『巨人《きょじん》の星《ほし》』の作画《さくが》を担当《たんとう》した川《かわ》崎《さき》のぼる先生《せんせい》が、同《おな》じ頃《ころ》に連載《れんさい》されていたのが『いなかっぺ大将《たいしょう》』だ。よもや同《おな》じ人《ひと》が作者《さくしゃ》とは思《おも》えないほど明《あか》るく楽《たの》しい、底抜《そこぬ》けギャグマンガであった。

主人公《しゅじんこう》は、青雲《せいうん》の志《こころざし》を抱《いだ》いて地方《ちほう》から上京《じょうきょう》してきた風大左エ門《かぜだいざえもん》。柔道家《じゅうどうか》・大柿矢五郎先生《おおがきやごろうせんせい》の家《いえ》に下宿《げしゅく》しながら、柔《やわら》の稽古《けいこ》に励《はげ》むつもりが、毎日《まいにち》ドタバタの連続《れんぞく》だ。

ここで紹介《しょうかい》する話《はなし》も、いまではなかなか見《み》られないエピソードである。

新年早々《しんねんそうそう》、大左エ門《だいざえもん》はオネショをしてしまう。布団《ふとん》は世界地図《せかいちず》のようなオネショ模様《もよう》に染《そ》まり、全面《ぜんめん》ぐっしょり。それを乾《かわ》かそうとして、大左エ門《だいざえもん》が選《えら》んだ手段《しゅだん》は、なんとオナラだった！　物干《ものほ》し竿《ざお》にかけた布団《ふとん》に向《む》かって大放屁《だいほうひ》して、たちまち大量《たいりょう》のオシッコを乾《かわ》かしたのである。

そこまではよかったが、これを室内《しつない》でやったため、オナラのガスが部屋《へや》に充満《じゅうまん》してしまう。大左エ門《だいざえもん》が苦《くる》しみもだえていると、大柿先生《おおがきせんせい》の娘《むすめ》・キクちゃんが入《はい》ってきて、たちまち失神《しっしん》。続《つづ》いて先生《せんせい》も入《はい》ってくるが、充満《じゅうまん》していたガスに「なんだか頭《あたま》がくらくらする。気分《きぶん》を変《か》えよう」と言《い》って、タバコに火《ひ》をつけた。

すると、大爆発《だいばくはつ》！　ガラスは割《わ》れ、壁《かべ》は破《やぶ》れ、柱《はしら》まで折《お》れて、部屋《へや》はもうめちゃめちゃ。３人《にん》は服《ふく》も髪《かみ》の毛《け》もボロボロの黒《くろ》コゲに……。その状況下《じょうきょうか》、３人《にん》はさほど動《どう》じることもなく、「ぐわっはっはっは。あけましておめでとう」と、新年《しんねん》の挨拶《あいさつ》を交《か》わすのだった。

う～む、アッパレだ。「俺《おれ》にも青春《せいしゅん》がほしい。俺《おれ》は父《とう》ちゃんの操《あやつ》り人形《にんぎょう》じゃない！」などと悩《なや》んでいた星飛雄馬《ほしひゅうま》にも見習《みなら》ってほしい能天気《のうてんき》ぶり……。

いや、注目《ちゅうもく》すべきはそこではない。ここで科学的《かがくてき》に考《かんが》えたいのは、オナラの威力《いりょく》である。オネショを乾《かわ》かし、室内《しつない》の人間《にんげん》をガス中毒《ちゅうどく》させ、家屋《かおく》を破壊《はかい》するほどの爆発《ばくはつ》を起《お》こすとは、大左エ門《だいざえもん》はどれほどの屁《へ》を放《はな》ったのだろうか？

◆オナラは爆発《ばくはつ》する！

人間《にんげん》のオナラには、窒素《ちっそ》、二酸化炭素《にさんかたんそ》、メタン、水素《すいそ》、酸素《さんそ》が含《ふく》まれる。このうち、メタンと水素《すいそ》は可燃性《かねんせい》のガスであるから、屁《へ》が燃《も》えるのは間違《まちが》いない。

筆者《ひっしゃ》の友人《ゆうじん》に、それを実験《じっけん》したツワモノがいる。現在《げんざい》、鹿児島県《かごしまけん》で中学校《ちゅうがっこう》の先生《せんせい》をやっている彼《かれ》は、大学時代《だいがくじだい》に仲間《なかま》の部屋《へや》で呑《の》んでいるとき、突然《とつぜん》「あうっ、屁《へ》が出《で》るっ！　電気《でんき》を消《け》せ！」と叫《さけ》び、尻《しり》にライターの炎《ほのお》を近《ちか》づけた。現場《げんば》に居合《いあ》わせた別《べつ》の友人《ゆうじん》によると、デニムを穿《は》いた尻《しり》の割《わ》れ目《め》に沿《そ》って、青白《あおじろ》い炎《ほのお》が走《はし》ったという。このように研究熱心《けんきゅうねっしん》な男《おとこ》であるから、いまごろはさぞかし立派《りっぱ》な教師《きょうし》となり、生徒《せいと》たちの尊敬《そんけい》を集《あつ》めているだろう。

しかし、読者《どくしゃ》の皆《みな》さんはこれ、絶対《ぜったい》にマネしないでください。『うんちとおしっこの100不思議《ふしぎ》』（山本文彦《やまもとふみひこ》ほか／東京書籍《とうきょうしょせき》）に恐《おそ》ろしい話《はなし》が載《の》っていた。デンマークの病院《びょういん》で、電気《でんき》メスを使《つか》って腸《ちょう》を切開《せっかい》したところ、腸内《ちょうない》のガスに電気《でんき》の火花《ひばな》が引火《いんか》して爆発《ばくはつ》し、患者《かんじゃ》は死亡《しぼう》したというのだ。なんと、オナラで死《し》んだ人《ひと》が、この世《よ》には実在《じつざい》するのだなあ。合掌《がっしょう》……。

「屁《へ》の役《やく》にも立《た》たん」という言葉《ことば》があるが、屁《へ》は意外《いがい》に侮《あなど》れないのです。それを重々認識《じゅうじゅうにんしき》したところで、さて、大左エ門《だいざえもん》の屁《へ》の威力《いりょく》である。いったいどれほどすごいオナラだったのか。

まずは、オネショを乾燥《かんそう》させたという事実《じじつ》に驚《おどろ》く。この目的《もくてき》のために放屁《ほうひ》するとは、常人《じょうじん》には

絶対《ぜったい》にできない発想《はっそう》だが、そもそも屁《へ》で布団《ふとん》を乾《かわ》かすことなど、可能《かのう》なのか？

風《かぜ》に当《あ》てると洗濯物《せんたくもの》はよく乾《かわ》く。これは蒸発《じょうはつ》した水蒸気《すいじょうき》が風《かぜ》で次々《つぎつぎ》に吹《ふ》き飛《と》ばされ、周囲《しゅうい》の湿度《しつど》が低《ひく》く保《たも》たれるからだ。屁《へ》には水蒸気《すいじょうき》が含《ふく》まれていないので、湿度《しつど》はゼロ。温度《おんど》も体温《たいおん》と同《おな》じ36℃前後《ぜんご》。ということは、おお、濡《ぬ》れたものを乾《かわ》かすにはもってこいの乾燥《かんそう》した温風《おんぷう》ということだ。へーっ、やるじゃないか、屁《へ》！

しかし、それに必要《ひつよう》な量《りょう》はハ

ンパではない。

常人《じょうじん》が1回《かい》に出《だ》す尿《にょう》の量《りょう》は250mL《ミリリットル》と言《い》われるが、世界地図《せかいちず》を描《か》き上《あ》げたくらいだから、大《だい》左エ門《ざえもん》の放尿量《ほうにょうりょう》は、一般人《いっぱんじん》の倍《ばい》に当《あ》たる500mL《ミリリットル》だったと考《かんが》えよう。これをすべて蒸発《じょうはつ》させる36℃の乾燥空気《かんそうくうき》とは、最低《さいてい》でも8300L《リットル》。普通《ふつう》サイズのドラム缶《かん》の容量《ようりょう》は200L《リットル》だから、ドラム缶《かん》42本分《ほんぶん》である！

◆ドラム缶《かん》70本分《ぽんぶん》をぶっ放《ぱな》す！

オナラが爆発《ばくはつ》することはわかった。オネショを乾《かわ》かすのに、意外《いがい》と良好《りょうこう》であることも判明《はんめい》した。

では、もう一《ひと》つ。劇中《げきちゅう》でキクちゃんが気絶《きぜつ》していたように、オナラがガス中毒《ちゅうどく》を引《ひ》き起《お》こすことはあるのだろうか？

調《しら》べてみて驚《おどろ》いた。屁《へ》の成分《せいぶん》となる気体《きたい》には、どれ一《ひと》つ毒性《どくせい》がないのである。都市《とし》ガスの主成《しゅせい》分《ぶん》にもなっているメタンでさえ、中毒症状《ちゅうどくしょうじょう》は、ガスが部屋《へや》に充満《じゅうまん》して、酸素《さんそ》を追《お》い出《だ》すことによって起《お》こる。メタンに中毒《ちゅうどく》するのではなく、酸欠《さんけつ》になるだけなのだ。

すると、キクちゃんが倒《たお》れたのは、酸欠《さんけつ》を起《お》こしたということだろう。メタンによる酸素欠乏《さんそけつぼう》で現《あらわ》れる症状《しょうじょう》は、空気中《くうきちゅう》のメタンガス濃度《のうど》25～30％で、脈拍《みゃくはく》および呼吸量増大《こきゅうりょうぞうだい》、注意力減少《ちゅういりょくげんしょう》。50

～80％で頭痛《ずつう》、眠気《ねむけ》……。

だが、ここで問題《もんだい》が生《しょう》じる。先《さき》ほどは、大左エ門《だいざえもん》は布団《ふとん》を乾《かわ》かすのに８３００Ｌ《リットル》の屁《へ》をこいた計算《けいさん》になったが、これほど莫大《ばくだい》な量《りょう》でも、眠気《ねむけ》を誘発《ゆうはつ》する空気中濃度《くうきちゅうのうど》50％は、達成《たっせい》できそうにないのである。

大左エ門《だいざえもん》が暮《く》らしていた部屋《へや》は６畳間《じょうま》だった。天井《てんじょう》の高《たか》さが、伝統的《でんとうてき》な日本家屋《にほんかおく》でよく見《み》られる８尺《しゃく》＝２・４ｍだったとすると、部屋《へや》の容積《ようせき》は２万《まん》８千Ｌ《せんリットル》だ。８３００Ｌ《リットル》とはその29％でしかない。これではキクちゃんは心臓《しんぞう》の鼓動《こどう》が速《はや》くなり、息《いき》が荒《あら》くなるくらい。マンガのように失神《しっしん》することはないはずだ。つまり、キクちゃんが失神《しっしん》したからには、大左エ門《だいざえもん》は２万《まん》８千Ｌ《せんリットル》の50％、すなわち１万《まん》４千Ｌ《せんリットル》以上《いじょう》の屁《へ》をぶっ放《ぱな》したと思《おも》われる！

それは、ドラム缶《かん》に換算《かんさん》して70本以上《ぽんいじょう》。こうなると、気《き》になるのは爆発《ばくはつ》の威力《いりょく》である。ドラム缶《かん》70本分《ぽんぶん》もの屁《へ》が爆発《ばくはつ》したら、いったいどれほどの被害《ひがい》が出《で》るのか？

前掲《ぜんけい》の『うんちとおしっこの１００不思議《ふしぎ》』によれば、人間《にんげん》の屁《へ》にはメタンが０～26％、水素《すいそ》が０・０６～47％含《ふく》まれるという。大《おお》きな幅《はば》があるのは、オナラが消化《しょうか》されなかった食物《しょくもつ》を原料《げんりょう》として、腸内《ちょうない》の細菌《さいきん》によって作《つく》られるからだ。体内《たいない》に棲《す》む細菌《さいきん》の種類《しゅるい》や数《かず》は個人《こじん》によって大《おお》きく違《ちが》うため、このような個体差《こたいさ》が出《で》る。

細菌《さいきん》が活発《かっぱつ》なほど、メタンや水素《すいそ》の濃度《のうど》は大《おお》きくなる。ここでは、元気《げんき》いっぱいの大左エ門《だいざえもん》の腸内細菌《ちょうないさいきん》に敬意《けいい》を表《ひょう》して、メタン26％、水素《すいそ》47％だったと考《かんが》えよう。1万《まん》4千L《せんリットル》のオナラに含《ふく》まれるそれらが同時《どうじ》に爆発《ばくはつ》した場合《ばあい》、その破壊力《はかいりょく》はTNT爆薬《ティーエヌティーばくやく》7・6kg分《ぶん》。通常《つうじょう》のダイナマイトには200gの爆薬《ばくやく》が含《ふく》まれるから、つまりダイナマイト38本分《ぽんぶん》である。うひょ～っ。

しかも、ガス爆発《ばくはつ》の爆風《ばくふう》は、障害物《しょうがいぶつ》があると威力《いりょく》を増《ま》す。爆風《ばくふう》が障害物《しょうがいぶつ》の裏《うら》に回《まわ》り込《こ》んで、渦《うず》を起《お》こすからだ。

大左エ門《だいざえもん》はもともと洋間《ようま》だった部屋《へや》を改造《かいぞう》し、囲炉裏《いろり》を切《き》って古《ふる》い田舎《いなか》ふうの部屋《へや》にしていた。壁際《かべぎわ》には薪《まき》が積《つ》んであり、部屋《へや》はいつも散《ち》らかしっぱなし。これでは爆発《ばくはつ》の威力《いりょく》はかなりのレベルにまで増大《ぞうだい》しただろう。この大爆発《だいばくはつ》が起《お》きながら一部屋《ひとへや》が大破《たいは》しただけで済《す》んだのは、不幸中《ふこうちゅう》の幸《さいわ》いだったかもしれない。

日本人《にほんじん》の放屁量《ほうひりょう》は、1日《にち》あたり1～1・5L《リットル》。標準《ひょうじゅん》より多《おお》めかな……と自覚《じかく》する人《ひと》は、部屋《へや》を片《かた》づけておくことをおススメします。

とっても気《き》になるマンガの疑問《ぎもん》

『はじめ人間《にんげん》ギャートルズ』などに出《で》てくる「マンガ肉《にく》」は、いったい何《なん》の肉《にく》ですか?

マンガやアニメには、現実世界《げんじつせかい》には存在《そんざい》しないのに、それが何《なん》なのかひと目《め》でわかる不思議《ふしぎ》なモノたちが登場《とうじょう》する。たとえば、風船《ふうせん》のようにプクーと膨《ふく》れるタンコブとか、ポカスカ殴《なぐ》り合《あ》うときにモクモク立《た》ち上《のぼ》る煙《けむり》とか。そんなタンコブや煙《けむり》は一度《いちど》も見《み》たことがないはずなのに、全力《ぜんりょく》で殴《なぐ》られたことや、激《はげ》しく格闘《かくとう》していることが、ひと目《め》でわかる。マンガやアニメには、とても優《すぐ》れた表現手法《ひょうげんしゅほう》があるのだ。

そうしたナゾの物体群《ぶったいぐん》のなかに「骨《ほね》つき肉《にく》」がある。そう、大《おお》きな肉《にく》のかたまりから、両側《りょうがわ》に骨《ほね》が突《つ》き出《だ》しているアレだ。現実世界《げんじつせかい》にも、骨《ほね》つき肉《にく》の料理《りょうり》はたくさんあるが、骨《ほね》は必《かなら》ず片側《かたがわ》だけについていて、両側《りょうがわ》から骨《ほね》が突《つ》き出《だ》した肉《にく》など、見《み》たことがない。

これは「マンガ肉《にく》」とも呼《よ》ばれ、『ONE PIECE《ワンピース》』でもルフィがかぶりついているが、多《おお》くの人《ひと》に知《し》られるようになったのは『はじめ人間《にんげん》ギャートルズ』の功績《こうせき》だろう。原作《げんさく》は園山俊二《そのやましゅんじ》先生《せんせい》のマンガで、1974年《ねん》からアニメが放映《ほうえい》された。その劇中《げきちゅう》で、原始人《げんしじん》の少年《しょうねん》ゴンと家族《かぞく》たちがワイルドに食《た》べていたのが、この骨《ほね》つき肉《にく》だったのだ。

いったい何《なん》の肉《にく》をどう料理《りょうり》したら、あのマンガ肉《にく》になるのか。本稿《ほんこう》ではそれを考《かんが》えてみよう。

◆あれは何《なん》の骨《ほね》?

マンガ肉《にく》にもいろいろな形《かたち》や大《おお》きさがあるようだが、『はじめ人間《にんげん》ギャートルズ』によく出《で》てくるものは、肉《にく》の直径《ちょっけい》と幅《はば》がそれぞれ20㎝ほど。そんな大《おお》きな肉《にく》の両側《りょうがわ》から、骨《ほね》が左右《さゆう》に10㎝ほど突《つ》き出《だ》している。つまり、骨《ほね》の長《なが》さは40㎝くらいだ。

これは何《なん》の動物《どうぶつ》の、どこの骨《ほね》なのだろう? まっすぐな棒状《ぼうじょう》だから、足《あし》の骨《ほね》であることは間違《まちが》いない。肉《にく》がたっぷりついているところからすると、前足《まえあし》なら上腕骨《じょうわんこつ》(肩《かた》から肘《ひじ》までの骨《ほね》)、後《うし》ろ足《あし》なら大腿骨《だいたいこつ》(腰《こし》から膝《ひざ》までの骨《ほね》)だろうと思《おも》われる。

では、上腕骨《じょうわんこつ》または大腿骨《だいたいこつ》が長《なが》さ40㎝もある動物《どうぶつ》とは?

調《しら》べてみると、牛《うし》の大腿骨《だいたいこつ》がそれくらいの長《なが》さのようだ。ただし、牛《うし》の大腿骨《だいたいこつ》はカタチがだいぶ違《ちが》う。両側《りょうがわ》が大《おお》きく膨《ふく》らんでいて、とても片手《かたて》では持《も》てそうもない。

『はじめ人間《にんげん》ギャートルズ』に出《で》てきた動物《どうぶつ》のなかで、上腕骨《じょうわんこつ》や、大腿骨《だいたいこつ》の長《なが》さが40㎝を上回《うわまわ》るものといえば、マンモスである。劇中《げきちゅう》でゴンたちは、マンガ肉《にく》のほかに、マンモスの足《あし》や胴体《どうたい》をスパッと輪切《わぎ》りにしただけという、超《ちょう》ワイルドな肉《にく》も食《た》べていた。

マンモスはかつて寒冷地《かんれいち》の草原《そうげん》に生息《せいそく》していたゾウの仲間《なかま》で、日本《にほん》でも北海道《ほっかいどう》などで化石《かせき》が見《み》つかっている。多《おお》くの種類《しゅるい》があり、最大《さいだい》のステップマンモスは体高《たいこう》4・8mとアフリカゾウ（最《さい》大《だい》で体高《たいこう》4m）よりも大《おお》きく、体重《たいじゅう》は20tもあったと考《かんが》えられている。ステップマンモスの上腕骨《じょうわんこつ》や大腿骨《だいたいこつ》は長《なが》さが1mを優《ゆう》に超《こ》えるが、マンモスには、体高《たいこう》3mのケナガマンモスや、1mのコビトマンモスなどもいた。ここから筆者《ひっしゃ》が妄想《もうそう》するに、ゴンの父親《ちちおや》たちは、大《おお》きなマンモスは輪切《わぎ》りにして、小型《こがた》のマンモスや子《こ》どものマンモスをマンガ肉《にく》にしていたのではないだろうか。

◆マンガ肉《にく》の重《おも》さは6kg！

では、そうしたマンモスの肉《にく》を、あのマンガ肉《にく》に調理《ちょうり》する方法《ほうほう》を考《かんが》えよう。

マンガ肉《にく》でまず目《め》につくのは、長《なが》さ40㎝の骨《ほね》の真《ま》ん中《なか》だけに、幅《はば》20㎝の肉《にく》がついていることだ。もちろん、骨《ほね》にこんな形《かたち》で肉《にく》のついた動物《どうぶつ》はいない。動物《どうぶつ》の筋肉《きんにく》は、関節《かんせつ》をまたいで2つの骨《ほね》につながっている。だからこそ縮《ちぢ》むことによって、骨《ほね》を動《うご》かすことができるのだ。

ということは、骨《ほね》つき肉《にく》の骨《ほね》についていた筋肉《きんにく》も、隣《となり》の骨《ほね》まで延《の》びていたはず。それが真《ま》ん中《なか》だけに残存《ざんぞん》するということは、そこだけを残《のこ》して、両端《りょうはし》をスパッと切《き》り落《お》としたはずである。肉《にく》を輪切《わぎ》りにして、両端《りょうはし》の肉《にく》を削《そ》ぎ落《お》とす……。石斧《いしおの》や石《いし》のナイフしかなかった時代《じだい》、とても困難《こんなん》な作業《さぎょう》だったと思《おも》われるが、なぜそこまでして、肉《にく》をあの形《かたち》にする必要《ひつよう》があったのか？

しかも、切《き》り落《お》とした肉《にく》はどうしたのかという問題《もんだい》も……はっ。肉《にく》というものは、焼《や》けば縮《ちぢ》む。ひょっとしたらマンガ肉《にく》は、焼《や》く前《まえ》はもっと大《おお》きかったのではないだろうか。それが、火《ひ》を通《とお》すうちに肉《にく》が縮《ちぢ》んで、両側《りょうがわ》から骨《ほね》がむき出《だ》しになったのでは!?

そもそも肉《にく》は、なぜ焼《や》くと縮《ちぢ》むのか？　調《しら》べてみると、理由《りゆう》は３つあった。

①肉《にく》の水分《すいぶん》が蒸発《じょうはつ》する、②肉《にく》の脂《あぶら》が流《なが》れ落《お》ちる、③コラーゲンという糸状《いとじょう》のタンパク質《しつ》が、熱《ねつ》を受《う》けると３分《ぶん》の１ほどに縮《ちぢ》む。

では、実際《じっさい》にどれくらい縮《ちぢ》むのか。そろそろおなかもすいたし、これはぜひ実験《じっけん》してみよう。

筆者《ひっしゃ》は、豚《ぶた》ロースのかたまりを買《か》ってきて、厚《あつ》さ３㎝に切《き》り出《だ》した。上《うえ》から見《み》ると、縦《たて》６・５㎝、横《よこ》12㎝の楕円形《だえんけい》だ。これを、ガスコンロの魚焼《さかなや》きに入《い》れて、焼《や》くこと15分《ふん》。うっひょ〜、実《じっ》においしそうに焼《や》き上《あ》がりました。わーい、いただきまーす！

ま、待《ま》て。何《なん》のために焼《や》いたか忘《わす》れるな、自分《じぶん》。筆者《ひっしゃ》はあわててフォークとナイフを置《お》いて、肉《にく》のサイズを測《はか》った。すると、縦《たて》６㎝、横《よこ》10㎝、厚《あつ》さは２・５㎝になっている。

完全《かんぜん》な楕円《だえん》だとすると、焼《や》く前《まえ》の肉《にく》の体積《たいせき》は１８４㎤。それが火《ひ》を通《とお》すことで１１８㎤になっている。実《じつ》に64％にも縮《ちぢ》んじゃったのだ。わ〜、なんだかもったいないよ〜。

ここから計算《けいさん》すると、マンガ肉《にく》の幅《はば》&直径《ちょっけい》20㎝の肉《にく》は、焼《や》く前《まえ》は幅《はば》24㎝、直径《ちょっけい》23㎝ほどあったとみられる。それでも、骨《ほね》は肉《にく》の左右《さゆう》から8㎝ずつハミ出《だ》していたことになるから、う〜ん、たぶんやっぱりわざわざ両端《りょうはし》の肉《にく》を削《そ》ぎ落《お》としたのでしょうなあ。

実験《じっけん》でもうひとつわかったのは、骨《ほね》つき肉《にく》の調理《ちょうり》にかかる時間《じかん》である。肉《にく》が焼《や》けるまでの時間《じかん》は「厚《あつ》さ×厚《あつ》さ」に比例《ひれい》する。厚《あつ》さ3㎝の筆者《ひっしゃ》の肉《にく》が焼《や》けるのに15分《ふん》かかったということは、厚《あつ》さ24㎝の骨《ほね》つき肉《にく》は、焼《や》けるまでに、なんと16時間《じかん》もかかる！　しかもこの肉《にく》、重量《じゅうりょう》は6㎏もあるはずで、ガスコンロもない原始時代《げんしじだい》にこれを焼《や》くのは大変《たいへん》だったのでは……。

あ。そういうふうに考《かんが》えると、なんでわざわざ両側《りょうがわ》の肉《にく》を切《き》り落《お》として、骨《ほね》を左右《さゆう》に出《だ》したか、わかってきましたぞ。こんなに重《おも》い肉《にく》を、手《て》で持《も》ったまま16時間《じかん》も焼《や》き続《つづ》けるのはまことに重労《じゅうろう》働《どう》。負担《ふたん》を減《へ》らすためにも、焚火《たきび》の左右《さゆう》に木《き》の枝《えだ》を立《た》て、そこに左右《さゆう》の骨《ほね》を引《ひ》っかけて、ゆーっくりと焼《や》いたのではないだろうか。おお、われながらナットクの結論《けつろん》だ！

え？　じゃあ『ONE PIECE《ワンピース》』のルフィが食《た》べている同《おな》じような肉《にく》は何《なに》か？　あの世界《せかい》にマンモスがいるのか？　んーと、んーと、それはまた次《つぎ》の機会《きかい》にでも〜。

とっても気《き》になる特撮《とくさつ》の疑問《ぎもん》

ウルトラの父《ちち》が採点《さいてん》した「ウルトラマンたちの成績表《せいせきひょう》」があるそうですが、どういうモノ？

筆者《ひっしゃ》がこのような本《ほん》を書《か》くようになったのは、『ウルトラマン』の影響《えいきょう》が大《おお》きい。劇中《げきちゅう》で描《えが》かれた巨大《きょだい》さや能力《のうりょく》を「科学的《かがくてき》に考《かんが》えてみたい」と思《おも》ったこともあるが、もうひとつは、怪獣《かいじゅう》図鑑《ずかん》や雑誌《ざっし》などで、番組内《ばんぐみない》では語《かた》られなかった設定《せってい》やデータがどんどん紹介《しょうかい》されていて、それに刺激《しげき》されたからでもある。その情報《じょうほう》から想像《そうぞう》を膨《ふく》らませるのが、とても楽《たの》しかった。

『ウルトラマン』が爆発的《ばくはつてき》にヒットし、その後《ご》『ウルトラセブン』や『帰《かえ》ってきたウルトラマン』などが作《つく》られ、やがてウルトラのヒーローたちは「兄弟《きょうだい》だった」という有名《ゆうめい》な設定《せってい》になるのだが、詳《くわ》しいことはテレビ番組《ばんぐみ》では語《かた》られなかった。でも、われわれ当時《とうじ》の小学生《しょうがくせい》はよく知《し》っていた。

それは小学館《しょうがくかん》の学年雑誌《がくねんざっし》(現在《げんざい》は「小学一年生《しょうがくいちねんせい》」しか残《のこ》っていないが、当時《とうじ》は「六年生《ろくねんせい》」まで全学年版《ぜんがくねんばん》が出《で》ていた)に、詳細《しょうさい》な情報《じょうほう》が載《の》っていたからだ。

そのなかで、筆者《ひっしゃ》がいちばん驚《おどろ》いたのは「ウルトラ兄弟《きょうだい》の成績表《せいせきひょう》」である。当時《とうじ》の子《こ》どもたちのあいだでは自然発生的《しぜんはっせいてき》に「ウルトラ兄弟《きょうだい》で、いちばん強《つよ》いのは誰《だれ》か」という議論《ぎろん》が交《か》わされていたが、「小学三年生《しょうがくさんねんせい》」の記事《きじ》が、この難問《なんもん》にあっさりとケリをつけた！

その記事《きじ》とは「ウルトラ五兄弟強《ごきょうだいつよ》さくらべ」(1973年《ねん》2月号《がつごう》)と「これがウルトラNo.《ナンバー》1だ!!」(同年《どうねん》10月号《がつごう》)で、それぞれ100点《てん》を満点《まんてん》とする成績《せいせき》が発表《はっぴょう》された。しかも、採点者《さいてんしゃ》はウルトラの父《ちち》！　確《たし》かに、ウルトラ兄弟《きょうだい》に成績《せいせき》をつけるとしたら、この人《ひと》しかいないだろう。

だが筆者《ひっしゃ》としては、どうにも納得《なっとく》のいかない、ビックリ満載《まんさい》の成績表《せいせきひょう》でもあった……。

◆気《き》の毒《どく》なウルトラマン

まずは最初《さいしょ》の記事《きじ》「ウルトラ五兄弟強《ごきょうだいつよ》さくらべ」。ここでいう五兄弟《ごきょうだい》とは、次《つぎ》のメンバーだ。

ゾフィー………『ウルトラマン』の最終回《さいしゅうかい》で初登場《はつとうじょう》。兄弟《きょうだい》の長男《ちょうなん》

ウルトラマン……『ウルトラマン』の主人公《しゅじんこう》だが、最終回《さいしゅうかい》で宇宙恐竜《うちゅうきょうりゅう》ゼットンに敗《やぶ》れた

ウルトラセブン…『ウルトラセブン』の主人公《しゅじんこう》。ウルトラアイで変身《へんしん》する

新《しん》ウルトラマン…『帰《かえ》ってきたウルトラマン』の主人公《しゅじんこう》。「新《しん》マン」と呼《よ》ばれたウルトラマンA《エース》…『ウルトラマンA《エース》』の主人公《しゅじんこう》。この番組《ばんぐみ》で、ウルトラの父《ちち》が初登場《はつとうじょう》

比較《ひかく》のテーマは7つあり、最初《さいしょ》の2項目《こうもく》と配点《はいてん》は、次《つぎ》のとおりであった。

①ゼットンとたたかえばどうなるか(10点《てん》)

②ブロッケンとたたかえばどうなるか(10点《てん》)

いうまでもなく、ゼットンはウルトラマンを倒《たお》した怪獣《かいじゅう》。一方《いっぽう》のブロッケンとは『ウルトラマンA《エース》』に登場《とうじょう》した変身超獣《へんしんちょうじゅう》で、A《エース》は苦戦《くせん》しながらも、ウルトラギロチンでこれを倒《たお》した。つまり、この2人《ふたり》にとっては、すでに結果《けっか》が出《で》ている戦《たたか》い。いまさら「どうなるか」と問《と》われても……。

案《あん》の定《じょう》、第《だい》1項目《こうもく》でウルトラマンが獲得《かくとく》した点数《てんすう》は、10点満点中《てんまんてんちゅう》たったの5点《てん》。ウルトラの父《ちち》は、その理由《りゆう》を「ゼットンにやられたことがある」。だから、それは知《し》ってるって!

逆《ぎゃく》に、新《しん》マンは有利《ゆうり》になるはずだ。彼《かれ》は『帰《かえ》ってきたウルトラマン』の最終回《さいしゅうかい》で、2代目《だいめ》ゼットンを倒《たお》したのだから。だが、ウルトラの父《ちち》の評価《ひょうか》は「やられそうだったが、どうにかやっつけた」で9点《てん》。あれっ、勝《か》ったのに、満点《まんてん》ではないの!?

10点満点《てんまんてん》を獲得《かくとく》したのは、ゾフィーとA《エース》である。理由《りゆう》は、ゾフィーが「M《エム》87光線《こうせん》がでれば、ゼットンもだめだ」、A《エース》が「なんとか、スペースQ《キュー》でやっつけるだろう」。要《よう》するに、この2人《ふたり》につ

いては、すごい技《わざ》があるから勝《か》つだろうと予想《よそう》しているわけだ。なんか不公平《ふこうへい》な気《き》がするな〜。

第《だい》2項目《こうもく》の超獣《ちょうじゅう》ブロッケンとは、A《エース》は実際《じっさい》に戦《たたか》い、勝《か》っている。それに対《たい》して父《ちち》は「だが、ほかの兄弟《きょうだい》の助《たす》けもあったので、9点《てん》だ」と、ややキビシめの評価《ひょうか》を下《くだ》している。そして、ここでもゾフィーは「M《エム》87光線《こうせん》には、ブロッケンもたまらない」と予想《よそう》だけで10点満点《てんまんてん》を獲得《かくとく》。一方《いっぽう》、ウルトラマンは「スペシウム光線《こうせん》では、ブロッケンにはきかないだろう」で、また5点《てん》……。

◆ゾフィーがやたらと高得点《こうとくてん》

これらの項目《こうもく》で、父《ちち》は自分《じぶん》の予想《よそう》をもとに採点《さいてん》している。「キミは○○大学《だいがく》に入《はい》れそうもないから5点《てん》」みたいな、よくわからない話《はなし》だ。それに比《くら》べると、次《つぎ》の項目《こうもく》は客観性《きゃっかんせい》が高《たか》い。

③飛《と》ぶ速《はや》さくらべ(10点《てん》)

ウルトラ兄弟《きょうだい》の飛行速度《ひこうそくど》は、この採点《さいてん》が行《おこな》われた時点《じてん》で、ゾフィーを除《のぞ》いて明確《めいかく》にわかっていた。当然《とうぜん》、それに応《おう》じた点数《てんすう》になるだろう。実際《じっさい》に、飛行速度《ひこうそくど》マッハ20のウルトラマンA《エース》は10点《てん》、マッハ7のセブンは8点《てん》、マッハ5のウルトラマンと新《しん》マンは6点《てん》を獲得《かくとく》している。それはいいのだが、またしてもゾフィーの評価《ひょうか》は不可解千万《ふかかいせんばん》。

「ゾフィーの速《はや》さは、よくわからないので、兄弟《きょうだい》とくらべてさい点《てん》した」と述《の》べて、8点《てん》。「くらべて」って何《なに》？　わからないのに、どうやって比《くら》べるんだッ!?
④とくい技《わざ》くらべ（20点《てん》）
⑤技《わざ》のしゅるいくらべ（20点《てん》）
「とくい技《わざ》くらべ」では、またゾフィーのM《エム》87光線《こうせん》が、満点《まんてん》の20点《てん》。ゼットン、ブロッケンとの想定戦《そうていせん》もこの技《わざ》ゆえに満点《まんてん》だったから、ゾフィーはM《エム》87光線《こうせん》だけで40点《てん》も稼《かせ》いだことになる。
⑥変身《へんしん》くらべ（10点《てん》）
採点《さいてん》に先立《さきだ》って、父《ちち》はこう述《の》べている。「怪獣《かいじゅう》とたたかうときは、すぐ変身《へんしん》できる方《ほう》がとくだ」。なるほど、正論《せいろん》である。しかし、ウルトラマンやウルトラセブンが、ベータカプセルやウルトラアイを「なくしたりするので、不便《ふべん》」と言《い》われて8点《てん》なのに、ゾフィーは「地球《ちきゅう》では変身《へんしん》しないので、たたかいに便利《べんり》」で10点《てん》。おいっ、それで変身《へんしん》くらべといえるのか!?
⑦怪獣《かいじゅう》たいじくらべ（20点《てん》）
最後《さいご》の項目《こうもく》では、どれだけの怪獣《かいじゅう》を倒《たお》してきたかという実績《じっせき》を問題《もんだい》にしている。新《しん》マンが65匹《ひき》で19点《てん》、セブンは60匹《ぴき》で18点《てん》、ウルトラマンは48匹《ぴき》で17点《てん》、A《エース》はこの記事《きじ》が作《つく》られた時点《じてん》では43匹《びき》で16点《てん》。父《ちち》には珍《めずら》しく、いずれも納得《なっとく》できる評価《ひょうか》のように思《おも》える。

ところが、これもゾフィーでは一転《いってん》。「地球《ちきゅう》では、まだ5ひきしかやっつけていないが、ほかの星《ほし》で100ぴきぐらいやっつけたらしい」で20点《てん》。「らしい」って何《なん》だ？　噂《うわさ》で満点《まんてん》ってアリなのか!?

というわけで、ウルトラの父《ちち》が下《くだ》した総合成績《そうごうせいせき》は、左《ひだり》ページの【表《ひょう》1】のとおり。

う～む、ゾフィーの成績《せいせき》はすごい。全《ぜん》7項目中《こうもくちゅう》、5項目《こうもく》で満点《まんてん》を取《と》っている。しかし「よくわからない」とか「変身《へんしん》しないのに変身《へんしん》くらべNo.《ナンバー》1」とか、理不尽《りふじん》な理由《りゆう》で高《たか》く評価《ひょうか》しすぎじゃないかなあ。それに比《くら》べて、ゼットンに負《ま》けたという昔《むかし》の失敗《しっぱい》を持《も》ち出《だ》され、最下位《さいかい》に沈《しず》んだウルトラマンが不憫《ふびん》……。

◆心配《しんぱい》なのは、失《な》くすこと!?

もうひとつの記事《きじ》「これがウルトラNo.《ナンバー》1だ!!」が掲載《けいさい》されたときは『ウルトラマンタロウ』が放送中《ほうそうちゅう》だった。よってタロウを加《くわ》えた6人《にん》での比較《ひかく》になっている。結果《けっか》を先《さき》に紹介《しょうかい》すると左《ひだり》ページの【表《ひょう》2】のとおり。またゾフィーが1位《い》で、ウルトラマンがビリ。はいはい、わかったよ。

投《な》げやりにならず、内容《ないよう》を吟味《ぎんみ》しよう。今回《こんかい》、比《くら》べる項目《こうもく》は5つで、満点《まんてん》はいずれも20点《てん》。最初《さいしょ》は「スピード変身《へんしん》くらべ」。変身《へんしん》の便利《べんり》さと飛行速度《ひこうそくど》を一緒《いっしょ》くたにした不思議《ふしぎ》な項目《こうもく》だ。今回《こんかい》もゾフィーが高《たか》く評価《ひょうか》され、ここでも満点《まんてん》の20点《てん》。ウルトラの父《ちち》は「スピードや変身《へんしん》の便《べん》

	対《たい》ゼットン	対《たい》ブロッケン	飛《と》ぶ速《はや》さ	得意技《とくいわざ》の威力《いりょく》	技《わざ》の種類《しゅるい》	変身《へんしん》	怪獣退治《かいじゅうたいじ》	合計《ごうけい》
満点《まんてん》	10	10	10	20	20	10	20	100
ゾフィー	10	10	8	20	16	10	20	94
ウルトラマン	5	5	6	16	16	8	17	73
ウルトラセブン	9	8	8	18	18	8	18	87
帰《かえ》ってきたウルトラマン	9	8	6	18	17	7	19	84
ウルトラマンA《エース》	10	9	10	20	19	9	16	93

[表《ひょう》1] これが「ウルトラ五兄弟《ごきょうだい》 強《つよ》さくらべ」の総合成績《そうごうせいせき》だ！

	スピード変身《へんしん》	最強怪獣《さいきょうかいじゅう》との戦《たたか》い	必殺技《ひっさつわざ》	やっつけた怪獣《かいじゅう》の数《かず》	弱点《じゃくてん》	合計《ごうけい》
満点《まんてん》	20	20	20	20	20	100
ゾフィー	20	19	20	18	19	96
ウルトラマン	15	13	18	16	17	79
ウルトラセブン	17	18	17	18	17	87
帰《かえ》ってきたウルトラマン	16	17	17	18	18	86
ウルトラマンA《エース》	18	15	17	17	16	83
ウルトラマンタロウ	20	17	20	18	18	93

[表《ひょう》2] これが「これがウルトラ№《ナンバー》1だ!!」の総合成績《そうごうせいせき》だ!!

利《り》さはわからないが、すごいのはたしかなので、20点《てん》をつけた」とコメント。なんだそりゃ!? 実態《じったい》がわからないのに、なぜ「すごいのはたしか」などと言《い》い切《き》れるんだっ!?

ウルトラセブンは「変身《へんしん》のときのウルトラアイは、よくおとしたりしていて、やはり不便《ふべん》だった」などの理由《りゆう》で17点《てん》。タロウは堂々《どうどう》の20点《てん》だが、その理由《りゆう》が「変身《へんしん》のときは、うでにぴったりはりついたバッジでするので、おとす心《しん》ぱいがない」。

う〜む、なぜこのヒトは、失《な》くすとか落《お》とすとか、そんなことばかり心配《しんぱい》するのか。宇宙《うちゅう》の平《へい》和《わ》を守《まも》る職務《しょくむ》に就《つ》いているのだから、考《かんが》えるべきことは他《ほか》にあるだろう。

第《だい》2項目《こうもく》は「最強怪獣《さいきょうかいじゅう》とのたたかいくらべ」。各人《かくじん》が地球《ちきゅう》を守《まも》っていたときの最強怪獣《さいきょうかいじゅう》とどう戦《たたか》ったかを調《しら》べているのだが、ウルトラマンは最下位《さいかい》の13点《てん》。理由《りゆう》は「ゼットンとたたかい負《ま》けてしまった」。え〜っ、まだそれを言《い》う!?

最後《さいご》は、今回新設《こんかいしんせつ》された「弱点《じゃくてん》くらべ」である。

ゾフィーについて、ウルトラの父《ちち》は「これといった弱点《じゃくてん》はない。少《すこ》し変身《へんしん》がにが手《て》なことが、弱点《じゃくてん》といえばいえる」。変身《へんしん》が苦手《にがて》なのが弱点《じゃくてん》!? 前回《ぜんかい》は、変身《へんしん》しないおかげで「変身《へんしん》くらべ」で満点《まんてん》だったじゃないか!

ウルトラマンは「いろいろな技《わざ》を持《も》っているが、これといってすごい技《わざ》がない。このため、ゼットンに負《ま》けてしまった」。もういいよ! やめようよ、その話《はなし》は……。

こうして父《ちち》の採点《さいてん》は終《お》わった。ゾフィーに対《たい》する評価《ひょうか》は「去年《きょねん》は94点《てん》だったのに、今年《ことし》は96点《てん》もとり、2点《てん》あがったのは、とてもほめられる」とベタ褒《ぼ》め。一方《いっぽう》で、ウルトラマンへのコメントは、聞《き》くに堪《た》えない。「マンはあいかわらず点《てん》が悪《わる》い。(中略《ちゅうりゃく》)思《おも》いきって、ほかの星《ほし》で怪獣《かいじゅう》た

いじをしにいったらどうだろうか」。

ひどい。相変《あいか》わらず点《てん》が悪《わる》いのは、相変《あいか》わらずあんたが「ゼットンに負《ま》けた〜、ゼットンに負《ま》けた〜」と祟《たた》りのように繰《く》り返《かえ》しているからだ。一度《いちど》の失敗《しっぱい》をそこまでしつこく責《せ》めたらいかんと思《おも》う。

——筆者《ひっしゃ》の世代《せだい》はこういうオモシロいモノを読《よ》みながら育《そだ》ったのだ。子《こ》ども心《ごころ》に「ヘンだなあ」と感《かん》じたりもしたが、その思《おも》いが筆者《ひっしゃ》を科学《かがく》に導《みちび》いてくれたのだと思《おも》います。

とっても気《き》になる特撮《とくさつ》の疑問《ぎもん》

「ムー大陸《たいりく》は、一夜《いちや》にして太平洋《たいへいよう》に沈《しず》んだ」と聞《き》いたことがあります。本当《ほんとう》でしょうか？

昔《むかし》から、こんな話《はなし》をときどき耳《みみ》にする。

かつて、太平洋《たいへいよう》に「ムー」と呼《よ》ばれる巨大《きょだい》な大陸《たいりく》があった。そこには高度《こうど》な文明《ぶんめい》を持《も》ったムー帝国《ていこく》が栄《さか》え、世界《せかい》を支配《しはい》していた。ところが、1万《まん》2千年前《せんねんまえ》のある日《ひ》、天変地異《てんぺんちい》が起《お》こって、ムー大陸《たいりく》は一夜《いちや》にして海底《かいてい》に沈《しず》んでしまった……。

1926年《ねん》にアメリカのチャーチワードという作家《さっか》が『失《うしな》われたムー大陸《たいりく》』という本《ほん》で提唱《ていしょう》し、そこから広《ひろ》まった伝説《でんせつ》である。同《おな》じような話《はなし》で、大西洋《たいせいよう》にあったというアトランティス大陸《たいりく》が、やはり一夜《いちや》で海没《かいぼつ》したという伝説《でんせつ》もある。こちらの提唱者《ていしょうしゃ》は、紀元前《きげんぜん》の有名《ゆうめい》な哲学者《てつがくしゃ》・プラトン

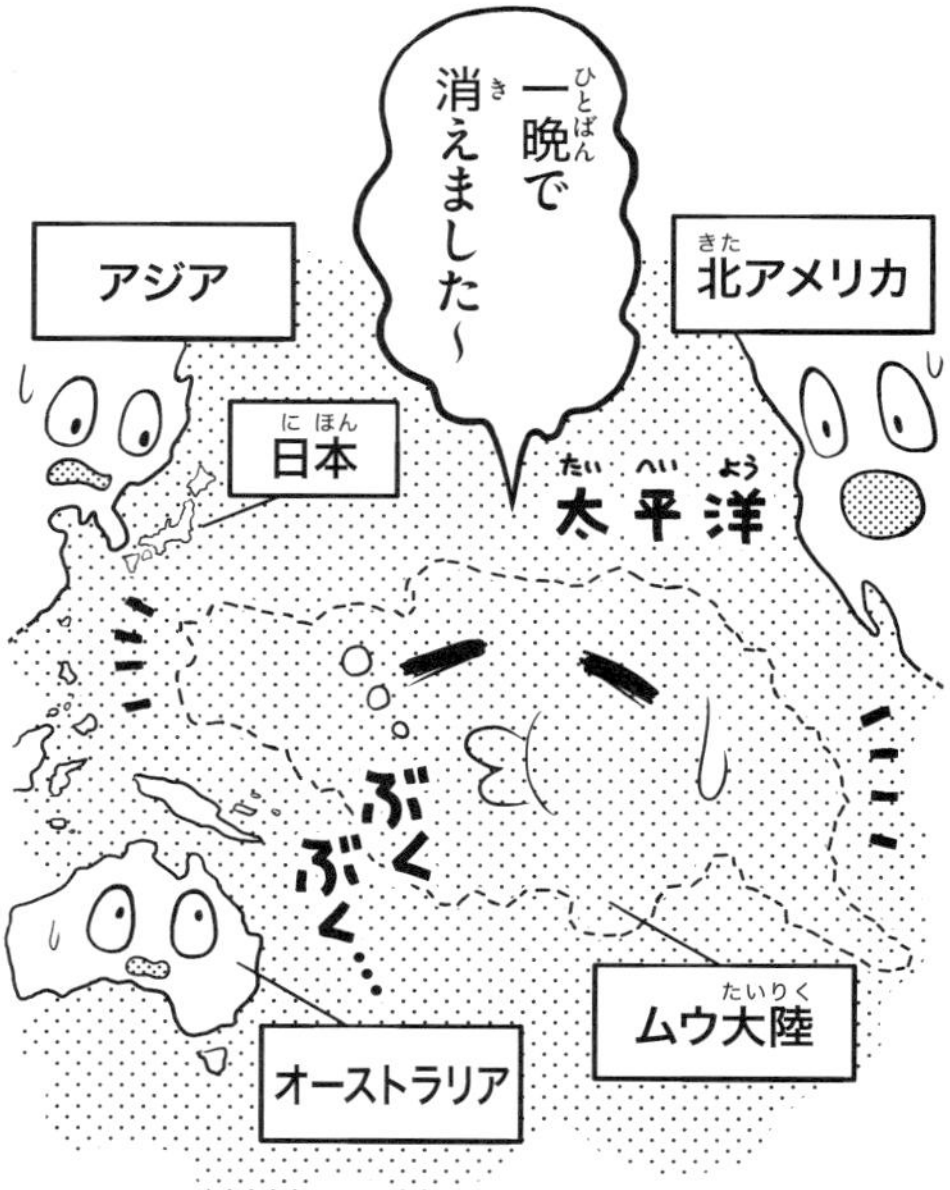

だというからビックリだ。

現代《げんだい》の科学《かがく》では、これらの大陸《たいりく》が存在《そんざい》した証拠《しょうこ》はないとされている。しかし、この話《はなし》は人々《ひとびと》のロマンを大《おお》いにかきたて、これを題材《だいざい》にして、たくさんの小説《しょうせつ》や映画《えいが》やマンガやアニメが作《つく》られてきた。

本稿《ほんこう》では1963年《ねん》に公開《こうかい》された映画《えいが》『海底軍艦《かいていぐんかん》』を紹介《しょうかい》しよう。そこではムウ大陸《たいりく》(映画《えいが》では「ムウ」と表記《ひょうき》されていたので、以下《いか》それに倣《なら》う)は1万《まん》2千年前《せんねんまえ》に沈《しず》んだだけではない。大陸《たいりく》が沈《しず》んでも生《い》き延《の》びた人々《ひとびと》がいて、1万《まん》2千年《せんねん》経《た》った現代《げんだい》になって「世界《せかい》はもともとわれわれの植民地《しょくみんち》だったのだから、返《かえ》せ」という脅迫《きょうはく》フィルムを送《おく》りつけてきたのだ！　ひゃ〜！

大陸《たいりく》が一夜《いちや》にして沈《しず》むことがあり得《う》るのか。そして、沈《しず》んだ大陸《たいりく》で生《い》き延《の》びることなんて、できるのか!?　これらのナゾを真剣《しんけん》に考《かんが》えてみよう。

◆原始時代《げんしじだい》に世界征服《せかいせいふく》？

ムウ帝国《ていこく》から届《とど》いた脅迫《きょうはく》フィルムには、かつてのムウ大陸《たいりく》の地図《ちず》が映《うつ》し出《だ》されていた。

それによると、ムウ大陸《たいりく》は3つの陸地《りくち》で構成《こうせい》されていて、全体《ぜんたい》としては西《にし》に傾《かたむ》いた平行四辺形《へいこうしへんけい》の形《かたち》をしている。周囲《しゅうい》の大陸《たいりく》と比《くら》べると、東西《とうざい》7600㎞、南北《なんぼく》4800㎞、推定面積《すいていめんせき》は360

0万《まん》km²に達《たっ》する。これはアフリカ大陸《たいりく》の1・2倍《ばい》だから、本当《ほんとう》に大《おお》きな大陸《たいりく》だ。そのうえ、現在《げんざい》より進《すす》んだ文明《ぶんめい》を持《も》っていたというのだから、それはもう大変《たいへん》な国力《こくりょく》だったことだろう。世界《せかい》を征服《せいふく》して当然《とうぜん》……、あれっ、待《ま》てよ。

ムウ帝国《ていこく》が栄《さか》えていたのは1万《まん》2千年前《せんねんまえ》である。その頃《ころ》、世界《せかい》はまだ原始時代《げんしじだい》であった。中国《ちゅうごく》で稲作《いなさく》が始《はじ》まるのは、その時代《じだい》から数《かぞ》えて5千年後《せんねんご》、メソポタミアで文字《もじ》が使《つか》われ始《はじ》めるのは7千年後《せんねんご》である。日本《にほん》では縄文時代《じょうもんじだい》が始《はじ》まったばかり……。そんな大昔《おおむかし》に、世界《せかい》を植民地《しょくみんち》にして、何《なに》かいいことがあったのかなあ。ドングリやイノシシを取《と》り上《あ》げるぐらいが精《せい》いっぱいだったのでは？

◆沈《しず》んだ理由《りゆう》がわからない！

いずれにしても、1万《まん》2千年前《せんねんまえ》のある日《ひ》、この広大《こうだい》な大陸《たいりく》が海《うみ》に沈《しず》んでしまったというのである。いったい、その日《ひ》、何《なに》が起《お》きたのだろうか。

ここでは、ムウ大陸《たいりく》の地形《ちけい》が、地球《ちきゅう》の6大陸《たいりく》のなかでもっとも平坦《へいたん》なオーストラリア大陸《たいりく》と同《おな》じだったと仮定《かてい》しよう。オーストラリア大陸《たいりく》は、平均標高《へいきんひょうこう》は340m。最大標高《さいだいひょうこう》はコジアスコ山《さん》の2228m。ムウ大陸《たいりく》の平均標高《へいきんひょうこう》と最大標高《さいだいひょうこう》がこれと同《おな》じでも、大陸《たいりく》のすべてが水没《すいぼつ》したということは、２２２８ｍも沈《しず》んだことになる。

そもそもムウ大陸《たいりく》は、どんな理由《りゆう》で沈《しず》んだのだろうか？　劇中《げきちゅう》に出《で》てきた彼《かれ》らの言葉《ことば》によれば「呪《のろ》われた運命《うんめい》によって」。

いや、そういうことではなく、もっと科学的《かがくてき》な原因《げんいん》はないの!?　と叫《さけ》んでも、劇中《げきちゅう》のムウ帝国《ていこく》の方々《かたがた》はそれ以上《いじょう》の説明《せつめい》をしてくれないので、筆者《ひっしゃ》が現実的《げんじつてき》な科学《かがく》で考《かんが》えると、可能性《かのうせい》が高《たか》いのは「プレート」の運動《うんどう》だろう。

プレートとは地球《ちきゅう》を覆《おお》う13枚《まい》の岩《いわ》の板《いた》で、その地下《ちか》にあるマントル層《そう》に乗《の》って、少《すこ》しずつ移動《いどう》している。このため、プレートは世界各地《せかいかくち》でぶつかり合《あ》っていて、これが地震《じしん》や火山噴火《かざんふんか》の原因《げんいん》になっている。

プレートは、他《ほか》のプレートとの押《お》し合《あ》いで大《おお》きな力《ちから》を受《う》けると、バキッと割《わ》れて、割《わ》れ目《め》の片方《かたほう》が持《も》ち上《あ》がり、もう片方《かたほう》が沈《しず》むことがある。これを「断層《だんそう》」といい、地震《じしん》を起《お》こすとともに、さまざまな地形《ちけい》を作《つく》る。日本《にほん》の中央《ちゅうおう》アルプスと南《みなみ》アルプスは断層《だんそう》でできた山脈《さんみゃく》で、琵琶湖《びわこ》は断層《だんそう》でできた湖《みずうみ》である。

南《みなみ》アルプスの最高峰《さいこうほう》は３１９３ｍの北岳《きただけ》(日本《にほん》2位《い》)。断層《だんそう》でこんなに高《たか》い山《やま》が生《しょう》じるのだから、最大標高《さいだいひょうこう》２２２８ｍのムウ大陸《たいりく》が沈《しず》んだって不思議《ふしぎ》じゃないのでは……？

とはいえ、「一夜《いちや》にして」というのは、あまりに急《きゅう》な話《はなし》だ。断層《だんそう》によって南《みなみ》アルプスが現在《げんざい》の高《たか》さになるまでには、１５００万年《まんねん》もかかっている。それが普通《ふつう》の地形《ちけい》の作《つく》られ方《かた》だ。

本当《ほんとう》に一晩《ひとばん》で２２２８ｍも沈《しず》んだら、大変《たいへん》なことになる。最初《さいしょ》に紹介《しょうかい》したように、ムウ大陸《たいりく》の東西《とうざい》は７６００㎞もあるのだ。それほど離《はな》れていた東《ひがし》と西《にし》の海岸《かいがん》が、たった一晩《ひとばん》でドドドーッと押《お》し寄《よ》せてきて、真《ま》ん中《なか》あたりでぶつかりあったことになる。「一夜《いちや》」というのが12時間《じかん》のことだとすると、迫《せま》り来《く》る海水《かいすい》のスピードは時速《じそく》３２０㎞！　新幹線《しんかんせん》の最高速度《さいこうそくど》と同《おな》じなのだから、ムウ帝国《ていこく》の人々《ひとびと》が生《い》き延《の》びるのはムリではないかなあ。

◆生《い》き延《の》びたコツを知《し》りたい！

だが、ムウ帝国《ていこく》の人々《ひとびと》が1万《まん》2千年間《せんねんかん》も生《い》き延《の》びてきたことは、『海底軍艦《かいていぐんかん》』劇中《げきちゅう》の事実《じじつ》。彼《かれ》らは、いったいどんな暮《く》らしをしてきたのだろうか。

劇中《げきちゅう》の描写《びょうしゃ》を見《み》ると、彼《かれ》らは沈《しず》んだ大陸《たいりく》の地下《ちか》の神殿《しんでん》で、厳《おごそ》かに祈《いの》りを捧《ささ》げていた。ということは、沈《しず》む大陸《たいりく》から脱出《だっしゅつ》したのではなく、海底深《かいていふか》く沈《しず》んだ大陸《たいりく》の地下《ちか》などでひっそりと暮《く》らしてきたということだ。

これは、言葉《ことば》にできないほど大変《たいへん》な生活《せいかつ》だったことだろう。前述《ぜんじゅつ》のように、ムウ大陸《たいりく》が２２２

日光《にっこう》のない海底《かいてい》の世界《せかい》

全員《ぜんいん》骨《ほね》が弱《よわ》い。

8m沈《しず》み、人々《ひとびと》が平均標高《へいきんひょうこう》と同《おな》じ340mの地点《ちてん》に住《す》んでいたとすると、彼《かれ》らの生《い》きる場所《ばしょ》は、海面下《かいめんか》1888m。これは深《ふか》い！　潜水艦《せんすいかん》の安全深度《あんぜんしんど》ですら、特殊《とくしゅ》なものを除《のぞ》けばせいぜい500mなのだ。ざっと考《かんが》えただけでも、次《つぎ》のような苦難《くなん》が想像《そうぞう》される。

①1888mの深海《しんかい》には日光《にっこう》がまったく届《とど》かないので、植物《しょくぶつ》は育《そだ》たない！

②植物《しょくぶつ》が育《そだ》たないと、家畜《かちく》も飼《か》えない！

③すると農業《のうぎょう》がまったくでき

ず、人間《にんげん》が食《た》べるものがない！
④光合成《こうごうせい》が行《おこな》われないので、酸素《さんそ》がなくなる！
⑤植物《しょくぶつ》も動物《どうぶつ》もいなければ、服《ふく》を作《つく》る材料《ざいりょう》もない！
⑥人間《にんげん》が日光《にっこう》を浴《あ》びずにいると、ビタミンD《ディー》が作《つく》れなくなり、骨《ほね》が弱《よわ》くなる！
⑦この深《ふか》さには地下水《ちかすい》もないので、飲《の》み水《みず》もない！
むひょ〜。生《い》きられる条件《じょうけん》が、ひとつもそろっていない！

にもかかわらず、ムウ帝国《ていこく》は地熱発電所《ちねつはつでんしょ》を保有《ほゆう》し、大陸《たいりく》の地下《ちか》には巨大《きょだい》な都市《とし》を建設《けんせつ》していた。

ひょっとしたら、電気《でんき》で光《ひかり》を作《つく》り、海水《かいすい》から真水《まみず》を精製《せいせい》し、その光《ひかり》と水《みず》で植物《しょくぶつ》を育《そだ》て、それを餌《えさ》に動物《どうぶつ》も育《そだ》て、酸素《さんそ》を手《て》に入《い》れていたのかもしれない。日光《にっこう》も届《とど》かない海底《かいてい》で、こうした暮《く》らしを1万《まん》2千年《せんねん》。科学技術《かがくぎじゅつ》も忍耐力《にんたいりょく》もズバ抜《ぬ》けてすごい人《ひと》たちだ……！

地球《ちきゅう》の表面積《ひょうめんせき》の70％は海《うみ》である。その海《うみ》の底《そこ》に、さまざまなものが静《しず》かに眠《ねむ》っているのは確《たし》かだろう。ひょっとしたら、高度《こうど》な文明《ぶんめい》を誇《ほこ》った大陸《たいりく》も……眠《ねむ》っているかなあ？

とっても気《き》になるマンガと特撮《とくさつ》の疑問《ぎもん》

イカ娘《むすめ》とイカデビルでは、どちらがイカっぽいですか？

どっちがイカらしイカ？コンテスト
さあ 勝者《しょうしゃ》はどちら⁉

世《よ》の中《なか》に「無意味《むいみ》な対決《たいけつ》」というものがあるとしたら、その筆頭《ひっとう》がこれでしょうなあ。

イカ娘《むすめ》とイカデビルは、どちらがイカっぽいか。

イカ娘《むすめ》は『侵略《しんりゃく》！イカ娘《むすめ》』の主人公《しゅじんこう》、イカデビルは『仮面《かめん》ライダー』に登場《とうじょう》したショッカーの大幹部《だいかんぶ》・死神博士《しにがみはかせ》の正体《しょうたい》。どちらも世界《せかい》の征服《せいふく》を企《くわだ》てる「人類《じんるい》の敵《てき》」ではあるが、イカ娘《むすめ》がかわいい女《おんな》の子《こ》なのに対《たい》し、イカデビルはオドロオドロしい改造人間《かいぞうにんげん》。比較《ひかく》するには共通点《きょうつうてん》が必要《ひつよう》だが、この2人《ふたり》に共通点《きょうつうてん》なんてあるのかなあ。

2人《ふたり》の特徴《とくちょう》をザックリ挙《あ》げてみると、まずイカ娘《むすめ》は、①基本的《きほんてき》な体形《たいけい》は人間《にんげん》と同《おな》じ。②頭《あたま》にはイカの胴《どう》がついている。③髪《かみ》の代《か》わりにイカの足《あし》が生《は》えていて、料理《りょうり》を運《はこ》んだり、人間《にんげん》を縛《しば》りあげたりする。④口《くち》からはスミを吐《は》く。⑤言葉《ことば》を話《はな》す際《さい》、語尾《ごび》に肯定文《こうていぶん》なら「ゲソ！」、疑問文《ぎもんぶん》や勧誘文《かんゆうぶん》なら「イカ？」をつける。

これに対《たい》して怪人《かいじん》イカデビルは、①基本的《きほんてき》な体形《たいけい》は人間《にんげん》と同《おな》じ。②頭《あたま》はイカの胴《どう》になっている。③肩《かた》からイカの足《あし》が生《は》えていて、鞭《むち》のように振《ふ》り回《まわ》し、仮面《かめん》ライダーの首《くび》を絞《し》めたりする。④口《くち》からはスミを吐《は》く。⑤「イカ」の初《はじ》めの文字《もじ》だからなのか「イィー！」と叫《さけ》ぶ。

ややや っ、意外《いがい》にも①から⑤までほぼ同《おな》じ！　イメージは大《おお》きく違《ちが》うが、実《じつ》はよく似《に》たお2人《ふたり》さんなのだ。よし、これはどっちがイカらしいか、考《かんが》えてみようじゃなイカ？

◆2人《ふたり》ともモノスゴク強《つよ》いが……

近年《きんねん》の海洋学《かいようがく》などの研究《けんきゅう》で、イカはかなりすごい能力《のうりょく》を持《も》っていることがわかってきた。自《みずか》らの色《いろ》を変《か》える擬態能力《ぎたいのうりょく》や、海洋生物一《かいようせいぶついち》といわれる視力《しりょく》を持《も》ち、トビイカのように海水《かいすい》を噴射《ふんしゃ》して、空中《くうちゅう》を数十《すうじゅう》mも飛《と》べるものもいる。

もちろん、イカ娘《むすめ》とイカデビルの能力《のうりょく》もすごい。

『侵略《しんりゃく》！イカ娘《むすめ》』のイカ娘《むすめ》は、海《うみ》を汚《よご》す人間《にんげん》を懲《こ》らしめ、地上《ちじょう》を侵略《しんりゃく》するために海《うみ》からやってきた。自分《じぶん》で自分《じぶん》を「イカ」だと言《い》っている。その触手《しょくしゅ》の破壊力《はかいりょく》はすさまじく、丸太《まるた》を空中《くうちゅう》に放《ほう》り上《あ》げ、スカッと縦割《たてわ》りにしたこともある。その丸太《まるた》は直径《ちょっけい》25㎝、長《なが》さ3ｍほどもあった。この場《ば》合《あい》、触手《しょくしゅ》が斧《おの》と同《おな》じ硬《かた》さと鋭《するど》さだとしても、イカ娘《むすめ》は触手《しょくしゅ》を時速《じそく》４９０㎞で振《ふ》った計算《けいさん》になる。

すげー。

『仮面《かめん》ライダー』のイカデビルも、恐《おそ》ろしい改造人間《かいぞうにんげん》だった。宇宙《うちゅう》を飛《と》び交《か》う隕石《いんせき》を誘導《ゆうどう》する能《のう》力《りょく》を持《も》っていて、日本中《にほんじゅう》に隕石《いんせき》を降《ふ》らせようとしたのだ。

実《じつ》に恐《おそ》るべきイカ生物《せいぶつ》たちであるが、ここでやろうとしているのは、攻撃力《こうげきりょく》の比較《ひかく》ではない。考究《こうきゅう》すべきは「どっちがイカらしイカ？」である。そもそも、丸太《まるた》を割《わ》るとか隕石《いんせき》を操《あやつ》るって、イカとはなんの関係《かんけい》もないし……。

イカの特徴《とくちょう》のなかで、もっとも際立《きわだ》つのは10本《ぽん》の足《あし》を持《も》つことだろう。イカの足《あし》は、生物学《せいぶつがく》では「腕《うで》」と呼《よ》び、４対《つい》(計《けい》８本《ぽん》)の短《みじか》い腕《うで》と、１対《つい》(２本《ほん》)の長《なが》い「触腕《しょくわん》」がある。触腕《しょくわん》は伸縮自在《しんしゅくじざい》で、体長《たいちょう》より長《なが》く伸《の》ばすこともでき、これで獲物《えもの》を引《ひ》き寄《よ》せ、放射状《ほうしゃじょう》に生《は》えた８本《ぽん》の短《みじか》い腕《うで》で、その中心《ちゅうしん》にある口《くち》に運《はこ》ぶ。

この点《てん》、イカ娘《むすめ》はどうか？　彼女《かのじょ》には人間《にんげん》と同《おな》じような腕《うで》があり、それ以外《いがい》にイカの腕《うで》らしきものを10本《ぽん》持《も》っている。それは、まるで髪《かみ》の毛《け》のように頭《あたま》の周囲《しゅうい》に生《は》えており、彼女自身《かのじょじしん》は「触《しょく》手《しゅ》」と呼《よ》んでいる。すべて伸縮自在《しんしゅくじざい》で、イカ娘《むすめ》はこれら10本《ぽん》の触手《しょくしゅ》を巧《たく》みに動《うご》かして、海《うみ》の家《いえ》「れもん」で料理《りょうり》を運《はこ》んだり、ビーチバレーをしたりしている。

イカデビルはどうか？　イカデビルも人間《にんげん》と同《おな》じような腕《うで》を持《も》ち、それとは別《べつ》にイカの腕《うで》がある。数《かぞ》えてみると、なぜか7本《ほん》。1本《ぽん》が右肩《みぎかた》から、4本《ほん》が左肩《ひだりかた》から生《は》えており、どれも人間《にんげん》の腕《うで》に巻《ま》きついている。そして残《のこ》る2本《ほん》が生《は》えているのは、なんと口《くち》の中《なか》。まるで牙《きば》のようにニュッと突《つ》き出《だ》しているのだが、どう見《み》ても軟《やわ》らかいイカの足《あし》だ。それ、自分《じぶん》で食《た》べてしまわないか心配《しんぱい》になる。

これら7本《ほん》の腕《うで》はどれも明《あき》らかに短《みじか》く、触腕《しょくわん》らしきものが見当《みあ》たらない。と思《おも》ったら、仮面《かめん》ライダーとの戦《たたか》いになると、イカデビルはどこからともなく1本《ぽん》の長《なが》い触腕《しょくわん》を取《と》り出《だ》してきて、右《みぎ》手《て》でそれを握《にぎ》ってムチのように振《ふ》り回《まわ》すのだった……。

イカ娘《むすめ》もイカデビルも、イカとしては非常《ひじょう》にアヤシイ形状《けいじょう》&生態《せいたい》だが、どう考《かんが》えてもイカデビルのほうがとっても変《へん》！　腕《うで》7本《ほん》＋触腕《しょくわん》1本《ぽん》は持《も》っているものの、戦闘《せんとう》その他《た》で活躍《かつやく》しているのは人間《にんげん》の腕《うで》だけで、7本《ほん》のイカの腕《うで》はなんの役《やく》に立《た》つのか全然《ぜんぜん》わからんし、ムチになる触腕《しょくわん》も、取《と》れるってことはそれ、自分《じぶん》の腕《うで》じゃないんじゃないの？　つまり、腕《うで》に関《かん》しては、イカ娘《むすめ》のほうがイカらしい！

◆イカデビル全敗《ぜんぱい》！

イカは、漏斗《ろうと》からスミを吐《は》く。漏斗《ろうと》は、よく「口《くち》」と言《い》われるが、前述《ぜんじゅつ》したように、イカの口《くち》は放射状《ほうしゃじょう》に生《は》えた８本《ぽん》の腕《うで》の中心《ちゅうしん》にある。漏斗《ろうと》は糞《ふん》や卵《たまご》や海水《かいすい》を出《だ》すための器官《きかん》だ。

イカ娘《むすめ》もイカデビルもスミを吐《は》くから、この点《てん》はどちらもイカらしい。ただし、イカ娘《むすめ》のスミがイカスミそのままに液体《えきたい》であるのに対《たい》し、イカデビルのスミは真《ま》っ黒《くろ》な煙《けむり》。両者《りょうしゃ》の差《さ》は歴然《れきぜん》で、スミについてはイカ娘《むすめ》のほうがイカの特徴《とくちょう》を備《そな》えている。

イカの体《からだ》のなかでもっとも重要《じゅうよう》な部分《ぶぶん》は、胴《どう》である。マンガなどでは、頭《あたま》のように描《えが》かれることが多《おお》いが、ここには消化器《しょうかき》や、呼吸《こきゅう》をするための「えら」や、心臓《しんぞう》や、卵《たまご》を産《う》むための生殖腺《せいしょくせん》など、内臓《ないぞう》が入《はい》っているから、「胴《どう》」と呼《よ》ぶのが正《ただ》しい。イカは腕《うで》を食《た》べられても死《し》ぬことはないが、胴《どう》をかじられると、内臓《ないぞう》も傷《きず》ついて、死《し》んでしまう。胴《どう》こそは、イカ最大《さいだい》の弱点《じゃくてん》ともいえるが、イカ娘《むすめ》とイカデビルはどうなのか。

イカ娘《むすめ》の頭《あたま》の上《うえ》にあるイカの胴《どう》を、周囲《しゅうい》の人々《ひとびと》は帽子《ぼうし》だと思《おも》っている。そのためアルバイト先《さき》の「れもん」で脱《ぬ》ぐように言《い》われたこともあるが、これにイカ娘《むすめ》は激《はげ》しく抗議《こうぎ》した。「それは私《わたし》に死《し》ねと言《い》っているのでゲソ!?」。イカが胴《どう》を脱《ぬ》いだら確実《かくじつ》に死《し》ぬから、これはまことにイカらしい発言《はつげん》である。

イカデビルにとっても、頭《あたま》そのものにしか見《み》えないイカの胴《どう》は、大事《だいじ》なものらしい。仮面《かめん》ライダーの仲間《なかま》の立花藤兵衛《たちばなとうべえ》が、ショッカーに強要《きょうよう》されてイカデビルのトレーナーを務《つと》めたことがある。このとき藤兵衛《とうべえ》は、本気《ほんき》でキビシク指導《しどう》にあたった。そんなことをしたら、仮面《かめん》ライダーの敵《てき》が強《つよ》くなってしまうのに、なぜ!?という気《き》がするが、藤兵衛《とうべえ》という人《ひと》は常《つね》に自分《じぶん》の職務《しょくむ》に熱心《ねっしん》なおじさんなのだ。

で、叱咤激励《しったげきれい》しながら、この恐《おそ》ろしい改造人間《かいぞうにんげん》を鞭《むち》でビシバシしばいていたときのこと。その鞭《むち》が頭《あたま》(イカの胴《どう》)に当《あ》たってしまい、それまで従順《じゅうじゅん》だったイカデビルが激《はげ》しく抗議《こうぎ》した。「俺《おれ》の頭《あたま》には(隕石《いんせき》の)誘導装置《ゆうどうそうち》が入《はい》っているんだ!」。ええっ、そうなの!? その事実《じじつ》にも驚《おどろ》くが、このイカ怪人《かいじん》にとって胴《どう》が大事《だいじ》なのは、大切《たいせつ》な内臓《ないぞう》が入《はい》っているからというより、隕石《いんせき》の誘導装置《ゆうどうそうち》があるから!? それは全然《ぜんぜん》イカらしくない!

むむむ、これではイカ娘《むすめ》の全勝《ぜんしょう》。というか、イカデビルの全敗《ぜんぱい》だ! それでは不憫《ふびん》だから、イカデビルが起死回生《きしかいせい》できそうな要素《ようそ》を探《さが》そう。

たとえば初登場《はつとうじょう》のシーンはどうか!? イカ娘《むすめ》は、海《うみ》から現《あらわ》れた。おお、これは文句《もんく》なくイカらしい。では、イカデビルは? あろうことか、岩《いわ》を撥《は》ね飛《と》ばして地面《じめん》のなかから出現《しゅつげん》! あんた、それでもイカなのか!?

――これはもう仕方《しかた》がない。よりイカらしいのは、明《あき》らかにイカ娘《むすめ》のほうだ。もう議論《ぎろん》の余《よ》地《ち》なく、イカ娘《むすめ》の圧勝《あっしょう》。

　とはいえ、筆者《ひっしゃ》の目《め》には、イカ娘《むすめ》はどうしても帽子《ぼうし》を被《かぶ》った人間《にんげん》の女《おんな》の子《こ》にしか見《み》えない。これに対《たい》して、イカデビルはもう違和感《いわかん》なくイカの怪人《かいじん》だ。う～ん、なぜだろう？　イカ生物《せいぶつ》たちの生態《せいたい》より、こっちのほうが、はるかに不思議《ふしぎ》である。

とっても気《き》になるマンガの疑問《ぎもん》

マンガの世界《せかい》で、いちばんモテる人《ひと》は誰《だれ》？ 逆《ぎゃく》に、モテないのは？

異性《いせい》にモテまくるキャラクターは、いろいろなマンガに登場《とうじょう》する。だが、具体的《ぐたいてき》にどれほどモテていたかは、案外《あんがい》わかりづらいものである。

たとえば、筆者《ひっしゃ》が子《こ》どもの頃《ころ》に大人気《だいにんき》だった『巨人《きょじん》の星《ほし》』には、花形満《はながたみつる》という主人公《しゅじんこう》のライバルキャラがいた。イケメンで、お金持《かねも》ちの御曹司《おんぞうし》で、野球《やきゅう》の天才《てんさい》で、友情《ゆうじょう》にも篤《あつ》い。当然《とうぜん》モテモテで、アイドルタレントにもデートに誘《さそ》われたりしていたが、当人《とうにん》はそういう人《ひと》たちには目《め》もくれず、主人公《しゅじんこう》・星飛雄馬《ほしひゅうま》のお姉《ねえ》さん、木《き》の陰《かげ》から飛雄馬《ひゅうま》を見守《みまも》っていた姿《すがた》が有名《ゆうめい》な明子《あきこ》姉《ねえ》ちゃんを、一途《いちず》に愛《あい》するのだった……。

自分《じぶん》のモテモテぶりをまるで意識《いしき》していない！　もったいないぞ、花形《はながた》くん！　などと、レベルの低《ひく》いイチャモンをつけている場合《ばあい》ではない。花形《はながた》くんの態度《たいど》は立派《りっぱ》だと思《おも》うし、多《おお》くのモテキャラは、むしろ恋愛《れんあい》などに興味《きょうみ》を示《しめ》さないから、実際《じっさい》のモテっぷりは不詳《ふしょう》なのだ。

よって、ここでは「モテたい！」と熱望《ねつぼう》しているキャラたちのモテ度《ど》を比《くら》べてみることにしよう。どっちかというと、モテない人々《ひとびと》の話《はなし》になりそうな気《き》もするし、そもそもこんな研究《けんきゅう》、モテないヤツがやることじゃないの？という不安《ふあん》もありますが。

◆片《かた》っ端《ぱし》から好《す》きになる！

モテるかどうかは別《べつ》にして、「ホレっぽい」という意味《いみ》で、すごい人々《ひとびと》がいる。

筆者《ひっしゃ》がまず思《おも》い浮《う》かべるのは、バスケットマンガの金字塔《きんじとう》『SLAM《スラム》 DUNK《ダンク》』の桜木花道《さくらぎはなみち》だ。彼《かれ》は、中学《ちゅうがく》3年間《ねんかん》で50人《にん》に告白《こくはく》し、ことごとくフラれたという！

3年《ねん》で50人《にん》とは、1年《ねん》に17人《にん》。ほぼ3週間《しゅうかん》に一度《いちど》というハイペースで告白《こくはく》したことになる。そして、ことごとく玉砕《ぎょくさい》しながらも、平均《へいきん》3週間後《しゅうかんご》には、またフレッシュな気分《きぶん》できっちりアタック。ここまで来《く》ると、頭《あたま》の下《さ》がる打《う》たれ強《づよ》さだ。彼《かれ》が高校《こうこう》バスケットで活躍《かつやく》できたのは、中学時《ちゅうがくじ》代《だい》の非《ひ》モテ生活《せいかつ》の賜物《たまもの》ではないだろうか。

この花道《はなみち》を上回《うわまわ》って惚《ほ》れっぽいのが、『ONE PIECE《ワンピース》』のサンジである。彼《かれ》は腕《うで》の立《た》つコックだが、美《うつく》しい女性《じょせい》に目《め》がないというか、見境《みさかい》がない。サンジはもともと、海上《かいじょう》レストラン「バラティエ」の副料理長《ふくりょうりちょう》だった。その初登場《はつとうじょう》シーンは、こんな感《かん》じだ。

料理人《りょうりにん》たちが店《みせ》の厨房《ちゅうぼう》で「サンジの野郎《やろう》は？」「店内《ダイニング》で客《きゃく》くどいてるよ」などと噂《うわさ》している頃《ころ》、当《とう》のサンジはある女性客《じょせいきゃく》の椅子《いす》の背《せ》に手《て》をかけながら、気取《きど》ってワインを注《つ》いでいた。その女性《じょせい》はカップルの1人《ひとり》で、男性《だんせい》の連《つ》れがいる。サンジの馴《な》れ馴《な》れしい態度《たいど》に、その男性客《だんせいきゃく》は憤慨《ふんがい》するが、サンジはそんなこと、お構《かま》いなしだ。それどころか、ゾロたちと店《みせ》に来《き》ていたナミに気《き》づくと、先《さき》ほどの女性客《じょせいきゃく》など忘《わす》れたかのように、ナミだけを見《み》つめて近《ちか》づき、「ああ海《うみ》よ」で始《はじ》まる98文字《もじ》の甘《あま》い言葉《ことば》をささやくのだった。そして、ゾロたちは完全無視《かんぜんむし》で、ナミだけにフルーツと食後酒《しょくごしゅ》をサービス。かと思《おも》えば、その直後《ちょくご》、店《みせ》に入《はい》ってきた女性客《じょせいきゃく》に「よく来《き》たねロクサーヌ♡」と、ハートをバラ撒《ま》く。

さらには、ウイスキーピークの街《まち》で歓待《かんたい》された宴《うたげ》(実《じつ》は敵《てき》の罠《わな》だったが)では、自分《じぶん》をハーレム状《じょう》に囲《かこ》んだ20人《にん》の美女《びじょ》をいっぺんに口説《くど》いた！

彼《かれ》が初登場《はつとうじょう》するコミックス5巻《かん》から、ほぼ1年間《ねんかん》の物語《ものがたり》と思《おも》われる61巻《かん》までを調《しら》べると、こんな調子《ちょうし》でサンジが1年間《ねんかん》に言《い》い寄《よ》った女性《じょせい》の数《かず》は、なんと32人《にん》！『SLAM DUNK《スラムダンク》』桜木花《さくらぎはな》道《みち》の17人《にん》を倍近《ばいちか》く上回《うわまわ》る女好《おんなず》きである。

◆週《しゅう》に2回《かい》はお見合《みあ》いだ！

女性《じょせい》キャラにもツワモノはいる。その代表《だいひょう》が、1970年代《ねんだい》に「りぼん」に連載《れんさい》された『きみどりみどろあおみどろ』の主人公《しゅじんこう》・きみどりだ。これは『つる姫《ひめ》じゃ〜っ！』で知《し》られる土田《つちだ》よしこ先生《せんせい》の作品《さくひん》で、きみどりは小学《しょうがく》6年生《ねんせい》の女《おんな》の子《こ》という設定《せってい》だった。ところが、その後《ご》に描《えが》かれた番外編《ばんがいへん》で、恐《おそ》るべき事実《じじつ》が明《あき》らかになったのだ。

番外編《ばんがいへん》のなかで、きみどりは29歳《さい》。そして、それまでに256人《にん》の男性《だんせい》とお見合《みあ》いしたが、すべて断《ことわ》られたというカナシイ事実《じじつ》が語《かた》られる。きみどりのお見合《みあ》いの相手《あいて》は全員《ぜんいん》が弟《おとうと》の「あおみどろ」の友人《ゆうじん》だったため、弟《おとうと》は姉《あね》のせいで友達《ともだち》という友達《ともだち》をなくしてしまったらしい。

2人《ふたり》の年齢差《ねんれいさ》を考《かんが》えれば、これはスゴい話《はなし》だ。きみどりが小《しょう》6のとき、あおみどろは5歳《さい》くらいに見《み》えた。すると、きみどりが29歳《さい》のいま、あおみどろは22歳《さい》のはずだ。常識的《じょうしきてき》に、お見合《みあ》いをするのは、どんなに早《はや》くても20歳《さい》をすぎてからだろう。弟《おとうと》の友人《ゆうじん》の多《おお》くが弟《おとうと》と同《おな》い年《どし》だったとすれば、弟《おとうと》が友人《ゆうじん》を姉《あね》のお見合《みあ》い相手《あいて》に推薦《すいせん》し始《はじ》めたのは、早《はや》くても2年前《ねんまえ》からでは？　するときみどりは、長《なが》くてもたった2年《ねん》のあいだに、256人《にん》もの男性《だんせい》とお見合《みあ》いしたことになる。1年《ねん》で128人《にん》。なんと3日《か》に1人《ひとり》だ！

あくまでお見合《みあ》いの人数《にんずう》だし、もはやモテるモテないを超越《ちょうえつ》しているが、きみどりがマンガ史《し》上《じょう》に残《のこ》る偉大《いだい》なキャラであることは間違《まちが》いない。マンガも、すごく面白《おもしろ》いよ。

◆2026人《にん》といっぺんにつき合《あ》う⁉

実際《じっさい》につき合《あ》った人数《にんずう》で桁外《けたはず》れにすごいのが『家庭教師《かてきょー》ヒットマンREBORN《リボーン》！』のDr.《ドクター》シャマルだ。彼《かれ》は、かつて2026股《また》をかけていたという！

シャマルは殺《ころ》し屋《や》であると同時《どうじ》に、医者《いしゃ》でもあるが、女性《じょせい》しか診察《しんさつ》しない。男性患者《だんせいかんじゃ》はどうなってもいいのか？と医者《いしゃ》としての倫理観《りんりかん》を問《と》いたくなるが、いや、その前《まえ》に人《ひと》としての道徳観《どうとくかん》を問《と》わねばなりませんなあ。

とはいえ、同時《どうじ》に2026人《にん》の女性《じょせい》とつき合《あ》うことなど、人類《じんるい》にできるのか。筆者《ひっしゃ》なら、盤石《ばんじゃく》の自信《じしん》を持《も》って断言《だんげん》できる。まず名前《なまえ》が覚《おぼ》えられません！

1人《ひとり》と1ヵ月《げつ》に1回《かい》デートするにしても、1日《にち》に68人《にん》。1人《ひとり》あたりのデート時間《じかん》がわずか10分《ぷん》であっても、毎日《まいにち》11時間《じかん》20分《ぷん》かかる。移動《いどう》に10分《ぷん》ずつかかったら、デートだけで1日《にち》22時間《じかん》40分《ぷん》。医者《いしゃ》の仕事《しごと》もできないし、寝《ね》る暇《ひま》もない。「医者《いしゃ》の不養生《ふようじょう》」とは、このことだ。そもそも相手《あいて》の

女性《じょせい》たちが、1ヵ月《げつ》に10分間《ぷんかん》のデートで納得《なっとく》してくれるのか!?

シャマルが仕事《しごと》と恋愛《れんあい》を両立《りょうりつ》するには、患者《かんじゃ》と交際《こうさい》するしかないだろう。診察時間《しんさつじかん》は1人《ひとり》10分《ぷん》で、1日《にち》に68人《にん》の患者《かんじゃ》を診《み》る。そのすべてが恋人《こいびと》！　現代《げんだい》、医《い》療現場《りょうげんば》の過重労働《かじゅうろうどう》が問題視《もんだいし》されているが、シャマルの医療《いりょう》＆恋《れん》愛《あい》もあまりに過重《かじゅう》である。

——というわけで、筆者《ひっしゃ》が知《し》る限《かぎ》り、このDr.《ドクター》シャマルがいちばんモテたヤツじゃないかなあ。大変《たいへん》そうで、まるで羨《うら》ましくありませんが。

とっても気《き》になるアニメの疑問《ぎもん》

『マジンガーZ《ゼット》』のあしゅら男爵《だんしゃく》は、男《だん》女《じょ》半《はん》々《はん》という珍《めずら》しい体《からだ》です。どういうことですか？

あしゅら男爵《だんしゃく》。読者《どくしゃ》の皆《みな》さんは知《し》ってるかなあ？　筆者《ひっしゃ》が大好《だいす》きだった1970年代《ねんだい》のアニメ『マジンガーZ《ゼット》』に出《で》てきた悪役《あくやく》なんだけど。

この人《ひと》のインパクトは結構《けっこう》すごくて、初《はじ》めて見《み》たときは夢《ゆめ》に出《で》てくるかと思《おも》った。なにしろ、体《からだ》の右半分《みぎはんぶん》が女性《じょせい》、左半分《ひだりはんぶん》が男性《だんせい》(本人《ほんにん》から見《み》て)なのだ！

そして劇中《げきちゅう》、この人《ひと》が横《よこ》を向《む》いて女《おんな》の体《からだ》が映《うつ》るときは女《おんな》の声《こえ》、男《おとこ》の体《からだ》が映《うつ》るときは男《おとこ》の声《こえ》、正《しょう》面《めん》向《む》きで両方《りょうほう》の顔《かお》が見《み》えるときには、男女《だんじょ》の声《こえ》がハモっていた。いったいどういう仕組《しく》みになっていたのか、いまでも全然《ぜんぜん》わかりません！

本稿《ほんこう》では、あしゅら男爵《だんしゃく》の体《からだ》の構造《こうぞう》を考《かんが》えよう。アニメ界広《かいひろ》しといえども、こんなに不思議《ふしぎ》なカラダのキャラクターはそうそういませんぞ。

◆すばらしい夫婦《ふうふ》だった！

あしゅら男爵《だんしゃく》がなぜあんな体《からだ》なのか、その理由《りゆう》ははっきり説明《せつめい》されている。彼《かれ》／彼女《かのじょ》はもともと、古代《こだい》の遺跡《いせき》で見《み》つかった夫婦《ふうふ》のミイラだったという。発掘《はっくつ》した悪《あく》の首領《しゅりょう》ドクターヘルが、2体《たい》のミイラを組《く》み合《あ》わせてサイボーグ化《か》したのだ。具体的《ぐたいてき》に考《かんが》えるなら、ヘルは2体《たい》のミイラを頭頂《とうちょう》から股間《こかん》にかけての「正中線《せいちゅうせん》」でスパッと断《た》ち割《わ》り、男性《だんせい》の左半身《ひだりはんしん》と女性《じょせい》の右半身《みぎはんしん》を組《く》み合《あ》わせて1体《たい》にした……ということだろう。ビックリするほど大胆《だいたん》である！

手術《しゅじゅつ》は困難《こんなん》を極《きわ》めたことだろう。神経《しんけい》や血管《けっかん》をいちいちつなぎ合《あ》わせる苦労《くろう》も大変《たいへん》なものだっただろうが、それより大《おお》きな障害《しょうがい》は「拒絶反応《きょぜつはんのう》」だ。

われわれの体《からだ》には、自分《じぶん》のものとは違《ちが》うタンパク質《しつ》が侵入《しんにゅう》してきたとき、それを攻撃《こうげき》しようとする仕組《しく》みが備《そな》わっている。タンパク質《しつ》は遺伝子《いでんし》に組《く》み込《こ》まれた情報《じょうほう》によって作《つく》られるため、遺《い》伝子《でんし》の違《ちが》いが大《おお》きければ、攻撃力《こうげきりょく》も強《つよ》くなる。他人《たにん》の皮膚《ひふ》や臓器《ぞうき》を移植《いしょく》したとき、一体化《いったいか》せずに剝《は》がれ落《お》ちることがあるのもこのためで、これが拒絶反応《きょぜつはんのう》と呼《よ》ばれる。

拒絶反応《きょぜつはんのう》は、遺伝子《いでんし》の近《ちか》い親子《おやこ》や兄弟《きょうだい》のあいだでは起《お》こりにくい。あしゅら夫婦《ふうふ》がつつがなく合体《がったい》できたということは、ご夫婦《ふうふ》の遺伝子《いでんし》が家族《かぞく》なみに近《ちか》かったということだ。ものすごい奇跡《きせき》といえるだろう。

それだけではない。2人《ふたり》には、体格面《たいかくめん》の奇跡《きせき》もあった。

半身《はんしん》ずつがピッタリ組《く》み合《あ》わさるということは、この夫婦《ふうふ》、頭頂《とうちょう》から股間《こかん》までの長《なが》さがまったく同《おな》じだったはずである。それだけでなく、頭《あたま》の大《おお》きさも、首《くび》の長《なが》さも、胸板《むないた》の厚《あつ》みも、寸分違《すんぶんたが》わず同《どう》サイズということだ。違《ちが》ってもよいのは、手足《てあし》の長《なが》さだけ……、いや、足《あし》の長《なが》さも同《おな》じでないと、立《た》ったときに傾《かたむ》くか。

するともう、ナニモカモ同《おな》じという大奇跡《だいきせき》！　あしゅら夫妻《ふさい》は、お互《たが》いにいい人《ひと》と巡《めぐ》り合《あ》いましたなあ。

◆生活《せいかつ》にもいろいろ困《こま》る

こうして誕生《たんじょう》したあしゅら男爵《だんしゃく》は、右《みぎ》が女性《じょせい》、左《ひだり》が男性《だんせい》である。医学的《いがくてき》に考《かんが》えれば、この構成《こうせい》は悪《わる》くない。

たとえば、心臓《しんぞう》だ。心臓《しんぞう》は体《からだ》の真《ま》ん中《なか》にあるが、右側《みぎがわ》で肺《はい》に血液《けつえき》を送《おく》り、左側《ひだりがわ》で全身《ぜんしん》に血液《けつえき》を送《おく》り出《だ》している。全身《ぜんしん》へ血液《けつえき》を送《おく》るほうがパワーが必要《ひつよう》だから、心臓《しんぞう》は左《ひだり》のほうが強《つよ》く拍動《はくどう》する。あしゅら男爵《だんしゃく》の心臓《しんぞう》の左側《ひだりがわ》も、左《ひだり》に位置《いち》する男性《だんせい》のものだろう。心臓《しんぞう》は男性《だんせい》のほうが大《おお》きく強《つよ》いから、まことに好都合《こうつごう》。もし逆《ぎゃく》だったら、女性《じょせい》の心臓《しんぞう》で全身《ぜんしん》に血液《けつえき》を送《おく》らねばならず、負担《ふたん》が大《おお》きかったと思《おも》われる。

逆《ぎゃく》に、肝臓《かんぞう》は体《からだ》の右側《みぎがわ》にあるから、男爵夫人《だんしゃくふじん》のものが使《つか》われているはずだ。肝臓《かんぞう》の機能《きのう》は女性《じょせい》のほうが優《すぐ》れていて、これが女性《じょせい》のほうが長生《ながい》きする一因《いちいん》という説《せつ》もある。この点《てん》でも有利《ゆうり》な組《く》み合《あ》わせである。ドクターヘルも、よく考《かんが》えているなあ。

ただし、脳《のう》については問題《もんだい》だ。脳《のう》は右脳《うのう》と左脳《さのう》に分《わ》かれていて、右脳《うのう》が左半身《ひだりはんしん》を動《うご》かし、左脳《さのう》が右半身《みぎはんしん》を動《うご》かすという逆《ぎゃく》の関係《かんけい》になっている。すると、男爵《だんしゃく》の脳《のう》で男爵夫人《だんしゃくふじん》の体《からだ》を動《うご》かし、男《だん》爵夫人《しゃくふじん》の脳《のう》で男爵《だんしゃく》の体《からだ》を動《うご》かすことに……ああ、ヤヤコシイ！

また、この体《からだ》では歩《ある》くだけでも苦労《くろう》するのではないだろうか。足《あし》の長《なが》さも同《おな》じとはいえ、右足《みぎあし》は女《おんな》、左足《ひだりあし》は男《おとこ》なのだ。多《おお》くの場合《ばあい》は、男《おとこ》のほうが大股《おおまた》で歩《ある》く。あしゅら男爵《だんしゃく》も同《おな》じだとすれば、左足《ひだりあし》の歩幅《ほはば》が右《みぎ》の歩幅《ほはば》をいつも上回《うわまわ》ることになり、その結果《けっか》、心《こころ》ならずも、右《みぎ》へ右《みぎ》へとカーブしてゆく。

これ以外《いがい》にも、化粧《けしょう》は顔《かお》の右半分《みぎはんぶん》だけするのか、どういうメガネをかけるのか、いかなるパンツを穿《は》くのか、靴《くつ》は男女《だんじょ》2足分《そくぶん》を買《か》うのか……など、あしゅら男爵《だんしゃく》の生活《せいかつ》に、謎《なぞ》は尽《つ》きない。

◆恋《こい》の相手《あいて》は自分自身《じぶんじしん》!?

こんなあしゅら男爵《だんしゃく》が恋《こい》をしたら、どうなるだろう？　相手《あいて》は男《おとこ》か、女《おんな》か？　もちろん誰《だれ》と恋《こい》しようと自由《じゆう》だが、たとえば男《おとこ》とデートをするときには、やはり右側《みぎがわ》の妻《つま》のほうが腕《うで》を組《く》むことになろう。その場合《ばあい》、左側《ひだりがわ》の夫《おっと》はヤキモキしたりしないのか!?

これらの不安《ふあん》を吹《ふ》き飛《と》ばすには、あしゅら男爵《だんしゃく》がもう1人《ひとり》いればよい。あしゅら夫妻《ふさい》には、それぞれミイラの半身《はんしん》が残《のこ》っているはず。それらを組《く》み合《あ》わせて、あしゅら男爵《だんしゃく》B《ビー》を作《つく》るのだ。そうすれば、お互《たが》いに夫婦《ふうふ》は一心同体《いっしんどうたい》のまま、もう半分《はんぶん》の夫婦《ふうふ》と腕《うで》を組《く》んでデートもできる。おお、なんという幸《しあわ》せ！

……いや、果《は》たしてそうか？　あしゅら男爵《だんしゃく》A《エー》は、右《みぎ》が女《おんな》、左《ひだり》が男《おとこ》。この人《ひと》とデートするあしゅら男爵《だんしゃく》B《ビー》は、右《みぎ》が男《おとこ》、左《ひだり》が女《おんな》のはずである。

A《エー》が右《みぎ》、B《ビー》が左《ひだり》に並《なら》んで腕《うで》を組《く》むとしよう。A《エー》が伸《の》ばす手《て》は、左半身《ひだりはんしん》の男《おとこ》の手《て》だ。それを受《う》け止《と》めるB《ビー》の右半身《みぎはんしん》は男《おとこ》。ああっ、男同士《おとこどうし》(というか自分同士《じぶんどうし》)で手《て》をつなぐことになってしまう。左右《さゆう》入《い》れ替《か》わっても、今度《こんど》は女同士《おんなどうし》(これも自分同士《じぶんどうし》)。

慌《あわ》てて手《て》を振《ふ》りほどき、ギュッと抱擁《ほうよう》しようものなら、A《エー》の左半身《ひだりはんしん》に迫《せま》ってくるのは、B《ビー》の右半身《みぎはんしん》。つまり男《おとこ》と男《おとこ》(自分《じぶん》と自分《じぶん》)が急接近《きゅうせっきん》! わ〜、どうすりゃいいんだ!?

マジンガーZ《ゼット》と戦《たたか》うあしゅら男爵《だんしゃく》は、日常生活《にちじょうせいかつ》や恋《こい》でも戦《たたか》いを強《し》いられるのだ。大変《たいへん》だなあと思《おも》うけど、どうか頑張《がんば》っていただきたい。

とっても気《き》になるマンガの疑問《ぎもん》

『ジョジョの奇妙《きみょう》な冒険《ぼうけん》』で、時間《じかん》が加速《かそく》して、マンガ家《か》が困《こま》っていました。どうすれば描《か》けますか？

1986年《ねん》に「週刊少年《しゅうかんしょうねん》ジャンプ」で連載《れんさい》スタートした『ジョジョの奇妙《きみょう》な冒険《ぼうけん》』は、途中《とちゅう》で掲載雑誌《けいさいざっし》を「ウルトラジャンプ」に替《か》えて、2017年《ねん》9月現在《がつげんざい》も連載中《れんさいちゅう》だ。物語《ものがたり》によって主人公《しゅじんこう》や舞台《ぶたい》は変《か》わるが、さまざまな超能力《ちょうのうりょく》を持《も》つ人《ひと》たちが、奇妙《きみょう》な戦《たたか》いを繰《く》り広《ひろ》げる世界観《せかいかん》は全《ぜん》シリーズ共通《きょうつう》だ。ここで紹介《しょうかい》するエピソードは、第《だい》6部《ぶ》『ストーンオーシャン』のもので、主人公《しゅじんこう》は元祖《がんそ》のジョナサンから数《かぞ》えて5代目《だいめ》にあたる空条徐倫《くうじょうジョリーン》、敵役《かたきやく》がプッチ神父《しんぷ》である。

このプッチ神父《しんぷ》が、生物以外《せいぶついがい》のすべてと、自分自身《じぶんじしん》の時間《じかん》を加速《かそく》させる能力《のうりょく》を持《も》っていた。つまり、生物《せいぶつ》である人間《にんげん》から見《み》れば、周囲《しゅうい》の時間《じかん》が目《め》の回《まわ》る速《はや》さで進《すす》んでしまう。時計《とけい》の針《はり》は高速《こうそく》でぐるぐる回転《かいてん》し、アイスはたちまち溶《と》け、そしてプッチ神父《しんぷ》はすさまじいスピードで攻撃《こうげき》をしかけてくる！　はたして徐倫《ジョリーン》は勝《か》てるのか!?

……というのが話《はなし》の主軸《しゅじく》なのだが、ここで注目《ちゅうもく》したいのは、劇中《げきちゅう》で紹介《しょうかい》される小《ちい》さなエピソード。時間《じかん》の流《なが》れが加速《かそく》する世界《せかい》で、岸辺露伴《きしべろはん》というマンガ家《か》はきっちり締《し》め切《き》りを守《まも》ったというのだ。本筋《ほんすじ》とは関係《かんけい》ないが、これ、ものすごいことではないか？

◆マンガ家《か》は一晩《ひとばん》でどのくらい描《か》ける？

実《じつ》は、『ストーンオーシャン』における岸辺露伴《きしべろはん》の出番《でばん》はたった一度《いちど》しかない。しかも、他《ほか》の人《ひと》の会話《かいわ》に名前《なまえ》が出《で》てくるだけ。

劇中《げきちゅう》、プッチ神父《しんぷ》が時《とき》を加速《かそく》させたため、人間社会《にんげんしゃかい》はとんでもない影響《えいきょう》を受《う》ける。月産《げっさん》No.《ナンバー》1と呼《よ》ばれる人気《にんき》マンガ家《か》も、一晩《ひとばん》で1ページしか描《か》けなかった。それもそのはず、ペンにインクをつけて原稿《げんこう》の上《うえ》に持《も》ってくるあいだに、もうインクが乾《かわ》いてしまうのだ。

「どうすりゃいいんだ？」とマンガ家《か》が頭《あたま》を抱《かか》えていると、編集者《へんしゅうしゃ》から電話《でんわ》がかかってくる。こんな状況《じょうきょう》でも、締《し》め切《き》りに間《ま》に合《あ》わせたマンガ家《か》がいるという。驚《おどろ》いたNo.《ナンバー》1マンガ家《か》が「何者《なにもの》なんだあ」と尋《たず》ねると、電話《でんわ》の向《む》こうで編集者《へんしゅうしゃ》が「岸辺露伴《きしべろはん》」と答《こた》える。彼《かれ》の出番《でばん》は、たったこれだけだ。

それでもインパクト充分《じゅうぶん》だったのは、彼《かれ》が『ジョジョの奇妙《きみょう》な冒険《ぼうけん》』第《だい》4部《ぶ》で活躍《かつやく》していたからだ。そのときの説明《せつめい》によれば、岸辺露伴《きしべろはん》は16歳《さい》でデビューし、物語《ものがたり》の進行時点《しんこうじてん》で20歳《さい》。19ページの連載原稿《れんさいげんこう》を通常《つうじょう》は4日《か》かけて、創作意欲《そうさくいよく》が湧《わ》けば一晩《ひとばん》で描《か》き上《あ》げていた。

実際《じっさい》にマンガ雑誌《ざっし》の編集者《へんしゅうしゃ》に取材《しゅざい》したところ、月産《げっさん》No.《ナンバー》1クラスのマンガ家《か》でも月《つき》に240ページ、調子《ちょうし》がいい日《ひ》で一晩《ひとばん》に10ページほどが限界《げんかい》だという。普段《ふだん》の露伴《ろはん》は1日《にち》5ページ弱《じゃく》だが、調子《ちょうし》がいいと、現実《げんじつ》のNo.《ナンバー》1マンガ家《か》の2倍《ばい》も速《はや》く描《か》けるわけだ。

これほど実力《じつりょく》のある露伴《ろはん》だからこそ、加速《かそく》された時間《じかん》のなかでも原稿《げんこう》を間《ま》に合《あ》わせたのだろう。それはどれほどの早業《はやわざ》だったのか？

◆ええっ、一晩《ひとばん》で5千《せん》ページ!?

露伴《ろはん》の仕事《しごと》っぷりがいかにすごいか。それを知《し》るためには、具体的《ぐたいてき》に時間《じかん》がどれほど加速《かそく》されたかを探《さぐ》らねばならない。

ヒントは、劇中《げきちゅう》に出《で》てきた「インクがたちまち乾《かわ》く」という現象《げんしょう》だろう。

実験《じっけん》してみるために、多《おお》くのマンガ家《か》が使《つか》っているというG《ジー》ペンとインクを買《か》ってきた。ペンにインクをつけて手元《てもと》まで持《も》ってくるのに、ほぼ1秒《びょう》かかる。続《つづ》いて、1分《ぷん》が経《た》つごとに紙《かみ》に線《せん》を引《ひ》いていくと、17分後《ふんご》、ペンにインクは残《のこ》っているのに、線《せん》がかすれ始《はじ》めた。この現象《げんしょう》から、ペンにつけたインクは17分《ふん》で乾《かわ》くと考《かんが》えていいだろう。

17分《ふん》とは１０２０秒《びょう》である。通常《つうじょう》１０２０秒《びょう》かかって乾《かわ》くインクが、このときは1秒《びょう》で乾《かわ》いたわけだ。すると、時間《じかん》はおよそ千倍《せんばい》に加速《かそく》していたことになる。これは大変《たいへん》だ！　一晩《ひとばん》を12時間《じかん》とすると、たった43・２秒《びょう》で夜《よ》が明《あ》けてしまうのだから。

ということは、第《だい》6部《ぶ》で困《こま》っていた№《ナンバー》1マンガ家《か》も、結構《けっこう》スゴいんじゃないか。一晩《ひとばん》に1ページしか描《か》けなかったというけれど、43・２秒《びょう》で1ページ描《か》き上《あ》げたわけだから。彼《かれ》は普段《ふだん》なら、一晩《ひとばん》で千《せん》ページも描《か》ける計算《けいさん》になるぞ。

当然《とうぜん》、岸辺露伴《きしべろはん》はもっとスゴい。彼《かれ》がこの夜《よる》もいつもどおり5ページ描《か》いたとすれば、時間《じかん》の加速《かそく》しない日《ひ》は一晩《ひとばん》で5千《せん》ページ描《か》けてしまうのだ！　1ページの完成《かんせい》に、わずか８・６４秒《びょう》！

ぬっひょ〜っ。

マンガの単行本《たんこうぼん》は1冊《さつ》２００ページ前後《ぜんご》。露伴《ろはん》がこの夜《よる》と同《おな》じ根性《こんじょう》（と技術《ぎじゅつ》？）を振《ふ》り絞《しぼ》れば、たった一晩《ひとばん》で25巻分描《かんぶんか》けることになる。全《ぜん》25巻《かん》のマンガというと、『ブラック・ジャック』『ぬらりひょんの孫《まご》』『サイコメトラーEIJI《エイジ》』『つるピカハゲ丸《まる》』……。これら名作群《めいさくぐん》と同《おな》じ量《りょう》の原《げん》稿《こう》をたった一晩《ひとばん》で!?

露伴《ろはん》は「ぼくは『読《よ》んでもらうため』にマンガを描《か》いている!」と言《い》っていたが、う〜ん、どんな傑作《けっさく》でも、毎日《まいにち》25巻《かん》ともなると、読《よ》むほうも大変《たいへん》だと思《おも》います。

◆さあ、100万日徹夜《まんにちてつや》だ!

この偉大《いだい》なマンガ家《か》の制作現場《せいさくげんば》は、どういうことになっていたのだろう。

千倍《せんばい》も速《はや》く流《なが》れる時間《じかん》のなかで、普段《ふだん》と同《おな》じ作業量《さぎょうりょう》をこなすには、すべての動作《どうさ》を千倍《せんばい》のスピードで行《おこな》わなければならない。普段《ふだん》の露伴《ろはん》が1秒《びょう》で3㎝の線《せん》を引《ひ》くとすれば、この夜《よる》は1秒《びょう》で3千《ぜん》㎝=秒速《びょうそく》30mでペンを動《うご》かしたはずである。プロボクサーのパンチは秒速《びょうそく》10mぐらいだから、露伴《ろはん》のペンさばきはプロボクサーのパンチの3倍《ばい》も速《はや》い! もはや自分《じぶん》にさえペンの動《うご》きは見《み》えず、長年鍛《ながねんきた》えた技《わざ》と感覚《かんかく》だけでペンを操《あやつ》っていたに違《ちが》いない。

大変《たいへん》なのは、曲線《きょくせん》を描《か》くときだ。筆者《ひっしゃ》が買《か》ってきたG《ジー》ペンは、ペン軸《じく》とペン先《さき》を合《あ》わせて10gだが、これで半径《はんけい》10㎝の円《えん》を描《か》くと、遠心力《えんしんりょく》でペンが9㎏の重《おも》さに感《かん》じられるハズ!

これでは、いくら露伴《ろはん》でも疲労困憊《ひろうこんぱい》しただろう。1秒《びょう》あたりの消費《しょうひ》エネルギーは「速度《そくど》×速度《そくど》

×速度《そくど》」に比例《ひれい》するから、1000×1000×1000＝10億倍《おくばい》！　ただし、実際《じっさい》に描《か》いていた時間《じかん》は一晩《ひとばん》の千分《せんぶん》の1だから、消費《しょうひ》エネルギーも10億倍《おくばい》の千分《せんぶん》の1となり、普段《ふだん》の100万倍《まんばい》。つまり露伴《ろはん》はこの夜《よる》、100万日連続《まんにちれんぞく》して徹夜《てつや》するほどのエネルギーを消耗《しょうもう》したのだ！

――というわけで、「徐倫《ジョリーン》vsプッチ神父《しんぷ》」という本筋《ほんすじ》には関《かん》係《けい》ないけど、それに劣《おと》らずスゴいエピソードなのである、これ。

とっても気《き》になる昔話《むかしばなし》の疑問《ぎもん》

ウクライナ民話《みんわ》『てぶくろ』で、手袋《てぶくろ》に次々《つぎつぎ》と動物《どうぶつ》が入《はい》ります。どれだけ大《おお》きい手袋《てぶくろ》ですか？

『てぶくろ』はウクライナの民話《みんわ》だが、日本《にほん》でも昔《むかし》から有名《ゆうめい》なお話《はなし》だ。筆者《ひっしゃ》が初《はじ》めて出会《であ》ったのも幼《おさな》い頃《ころ》で、たぶん母《はは》か叔母《おば》に読《よ》み聞《き》かせてもらったのだと思《おも》う。

雪《ゆき》の上《うえ》に落《お》ちていた手袋《てぶくろ》に、ネズミやウサギなど動物《どうぶつ》たちが次々《つぎつぎ》に入《はい》っていくという話《はなし》は、子《こ》ども心《ごころ》に不可解《ふかかい》だった。寒《さむ》い北《きた》の国《くに》には、そんなに大《おお》きな手袋《てぶくろ》があるのか？　それとも、手袋《てぶくろ》はどんどん大《おお》きくなったのか？

そこで、あらためて『てぶくろ』(うちだりさこ訳《やく》　エウゲーニー・M《エム》・ラチョフ絵《え》／福音館書店《ふくいんかんしょてん》)を読《よ》んでみた。な～るほど、すっかり忘《わす》れていたが、手袋《てぶくろ》は森《もり》を歩《ある》いていたおじいさんが落《お》とし

これがいちばんいい手袋《てぶくろ》の入《はい》り方《かた》だって
そもそも手袋《てぶくろ》は入《はい》るもんじゃないけどさ……

たものであった。

ということは、手袋《てぶくろ》ははじめ、普通《ふつう》のサイズだったのだろう。そこに動物《どうぶつ》が次々《つぎつぎ》と入《はい》って……。

これは恐《おそ》るべき事態《じたい》ではないだろうか。

続々《ぞくぞく》と手袋《てぶくろ》に入《はい》った動物《どうぶつ》たちは、順《じゅん》に次《つぎ》のとおりだ。
①くいしんぼねずみ　②ぴょんぴょんがえる
③はやあしうさぎ　④おしゃれぎつね
⑤はいいろおおかみ　⑥きばもちいのしし
⑦のっそりぐま
全部《ぜんぶ》で7匹《ひき》！　しかも、動物《どうぶつ》たちのサイズはどんどん大《おお》きくなり、最後《さいご》はクマまで入《はい》っちゃってる！　手袋《てぶくろ》にクマ……。うーん、手袋《てぶくろ》はどうなってしまうのか!?

◆この手袋《てぶくろ》の大《おお》きさは？

物語《ものがたり》の舞台《ぶたい》になったウクライナは、ロシアの南西《なんせい》、黒海《こっかい》の北岸《ほくがん》にある。その首都《しゅと》・キエフは、北海道《ほっかいどう》より北《きた》の北緯《ほくい》50度《ど》に位置《いち》し、1月《がつ》には平均気温《へいきんきおん》がマイナス3・5℃を記録《きろく》する。こんな寒《さむ》いところに手袋《てぶくろ》が落《お》ちていたら、そりゃあ動物《どうぶつ》たちも入《はい》りたくなるかもしれませんなあ。

では、この手袋《てぶくろ》、大《おお》きさはどれほどだったのか？　それは、動物《どうぶつ》たちの大《おお》きさを調《しら》べればわかるはずだ。

　手袋《てぶくろ》を最初《さいしょ》に発見《はっけん》したくいしんぼねずみは、絵本《えほん》の挿《さ》し絵《え》と百科事典《ひゃっかじてん》の図版《ずはん》を照合《しょうごう》すると、おそらくアカネズミだったと思《おも》われる。すると体長《たいちょう》は10㎝。落《お》ちていた手袋《てぶくろ》は指《ゆび》が分《わ》かれていないミトンなので、これなら普通《ふつう》サイズでも楽々《らくらく》と入《はい》れるであろう。

と思《おも》ったが、絵本《えほん》の挿《さ》し絵《え》を見《み》ると、おじいさんの手袋《てぶくろ》が普通《ふつう》サイズでなかったことは明《あき》らかだ。絵本《えほん》に定規《じょうぎ》を当《あ》ててみると、手袋《てぶくろ》の手首《てくび》から指先《ゆびさき》までの長《なが》さは、くいしんぼねずみの体長《たいちょう》の3・4倍《ばい》もある。すると、手袋《てぶくろ》の長《なが》さはなんと34㎝ということだ！　筆者《ひっしゃ》の手袋《てぶくろ》の同《おな》じ部分《ぶぶん》の長《なが》さは22㎝だから、その1・5倍《ばい》もデカい。手袋《てぶくろ》を落《お》としたおじいさんは、常人《じょうじん》の1・5倍《ばい》も巨大《きょだい》な手《て》の持《も》ち主《ぬし》だったと思《おも》われる。

　次《つぎ》にやってきたのは、ぴょんぴょんがえる。絵本《えほん》で見《み》る限《かぎ》り、体《からだ》の大《おお》きさはくいしんぼねずみと同《おな》じくらいだ。この大《おお》きな手袋《てぶくろ》には、余裕《よゆう》で入《はい》れるだろう。

　続《つづ》いては、はやあしうさぎ。ノウサギの体長《たいちょう》は40～60㎝。長《なが》さ34㎝の巨大《きょだい》手袋《てぶくろ》といえども、全身《ぜんしん》を入《い》れることは難《むずか》しい。おそらく手袋《てぶくろ》は、このへんから伸《の》び始《はじ》めたのではないか。

　これに続《つづ》く動物《どうぶつ》たちの体長《たいちょう》を調《しら》べてみると、キツネ70㎝、オオカミ80～160㎝、イノシシ1

１０～１５０㎝、クマ１７０～２８０㎝！　で、デカい！　いくらなんでも、体長《たいちょう》２ｍ前後《ぜんご》のクマなんて入《はい》れるの!?

しかし入《はい》っちゃったのだから、仕方《しかた》がない。これらの巨大動物《きょだいどうぶつ》が次々《つぎつぎ》に入《はい》った手袋《てぶくろ》は、最終的《さいしゅうてき》にはどれほど大《おお》きくなったのだろうか？

◆手袋《てぶくろ》は何倍《なんばい》に広《ひろ》がった？

絵本《えほん》の絵《え》では、最後《さいご》にクマがやってきたとき、６匹《ぴき》の動物《どうぶつ》たちは、親指《おやゆび》を上《うえ》にして置《お》かれた手《て》袋《ぶくろ》に思《おも》い思《おも》いの居場所《いばしょ》を見《み》つけて潜《もぐ》り込《こ》んでいた。すでに満員状態《まんいんじょうたい》である。

そこに巨大《きょだい》なクマがどうやって割《わ》り込《こ》んだのか非常《ひじょう》に知《し》りたいが、残念《ざんねん》ながら全員《ぜんいん》が入《はい》った絵《え》は載《の》っていなかった。

ならば、想像《そうぞう》してみよう。ここでは、７匹《ひき》が入《はい》るのに、いちばんムダなスペースが生《しょう》じない方《ほう》法《ほう》を考《かんが》えたい。

それぞれの動物《どうぶつ》たちがもっとも小《ちい》さな個体《こたい》だとして、百科事典《ひゃっかじてん》の図版《ずはん》から胴体《どうたい》の直径《ちょっけい》を計算《けいさん》してみると、キツネ21㎝、オオカミ26㎝、イノシシ41㎝、クマ64㎝。これらが横一列《よこいちれつ》に並《なら》んだとき、全員《ぜんいん》の胴体《どうたい》をぐるりと一回《ひとまわ》りする長《なが》さがいちばん短《みじか》くなるのは、オオカミ(中《ちゅう》)、イノシシ(大《だい》)、クマ(特大《とくだい》)、キツネ(小《しょう》)という順《じゅん》に並《なら》んだときだ。残《のこ》る小型《こがた》の3匹《びき》は、他《ほか》の動物《どうぶつ》たちの隙間《すきま》に入《はい》ればよい。この入《はい》り方《かた》を藤嶋《ふじしま》マルさんに描《か》いてもらったのがP154のタイトル下《した》のイラストだ。

この場合《ばあい》、手袋《てぶくろ》の手《て》を入《い》れる部分《ぶぶん》の1周《しゅう》は、なんと3m46㎝になる！　自分《じぶん》の手袋《てぶくろ》で測《はか》ると、手袋《てぶくろ》の入《い》り口《ぐち》の1周《しゅう》は、手首《てくび》から先端《せんたん》までと同《おな》じ長《なが》さである。すると、ネズミが入《はい》る段階《だんかい》で、入《い》り口《ぐち》の1周《しゅう》も、長《なが》さと同《おな》じ34㎝だったはずだ。それが、動物《どうぶつ》たちが入《はい》ったら3m46㎝になった。つまり手袋《てぶくろ》は10倍《ばい》にも伸《の》びたわけである！　どっひぇ〜。

◆肝《きも》っ玉《たま》のすわったおじいさん！

これほどまでに伸《の》びる手袋《てぶくろ》とは、いったい何《なに》でできているのだろう？　革《かわ》はほとんど伸《の》びないし、毛糸《けいと》でもせいぜい2倍《ばい》が限界《げんかい》だ。厳冬期《げんとうき》のウクライナで、まさかゴム手袋《てぶくろ》ってことはないよなあ……。

悩《なや》みつつ、お話《はなし》の終《お》わりをもう一度《いちど》読《よ》むと、こうなっている。

　みんなは　びっくりして　てぶくろから　はいだすと、
もりの　あちこちへ　にげていきました。
　そこへ　おじいさんが　やってきて　てぶくろを　ひろいました。

なんとおじいさんは、10倍《ばい》にも伸《の》びたと思《おも》われる手袋《てぶくろ》を、何《なに》事《ごと》もなかったように拾《ひろ》い上《あ》げているのである。おじいさん、そんなに伸《の》びたら、もう使《つか》い物《もの》にならないのではありませんか!?

筆者《ひっしゃ》だったら、自分《じぶん》の落《お》とした手袋《てぶくろ》が10倍《ばい》に広《ひろ》がって落《お》ちていたら、モーレツに驚《おどろ》き、不気味《ぶきみ》に感《かん》じると思《おも》うのだが、おじいさんが特《とく》に動揺《どうよう》した描写《びょうしゃ》はない。ここから推測《すいそく》できるのは、北《きた》の大地《だいち》に生《い》きるこのおじいさんは、なかなかの大人物《だいじんぶつ》だろうということだ。

とっても気《き》になる特撮《とくさつ》の疑問《ぎもん》

地球《ちきゅう》を狙《ねら》う宇宙人《うちゅうじん》は、なぜ日本《にほん》にばかりやってくるのでしょう?

子《こ》どもの頃《ころ》に『ウルトラマン』や『ウルトラセブン』を見《み》ていて、不思議《ふしぎ》で仕方《しかた》のなかったことがある。それは、地球《ちきゅう》の侵略《しんりゃく》を企《くわだ》てる宇宙人《うちゅうじん》が、日本《にほん》にばかりやってくること!

筆者《ひっしゃ》が大好《だいす》きな『ウルトラセブン』は、怪獣《かいじゅう》よりも宇宙人《うちゅうじん》のほうが多《おお》く登場《とうじょう》する番組《ばんぐみ》で、劇中《げきちゅう》では繰《く》り返《かえ》し「地球《ちきゅう》は狙《ねら》われている」とナレーションされていた。約《やく》1年間《ねんかん》の放送《ほうそう》で、登場《とうじょう》した宇宙人《うちゅうじん》は38種族《しゅぞく》。そのほとんどが日本《にほん》にやってきた。

日本《にほん》の面積《めんせき》は、地球《ちきゅう》の全陸地《ぜんりくち》のわずか0・25%でしかない。もし宇宙人《うちゅうじん》が初《はじ》めから目的地《もくてきち》を決《き》めず、テキトーに地表《ちひょう》に降《お》り立《た》ったとしたら、日本《にほん》に来《く》る確率《かくりつ》は400分《ぶん》の1のはずなのだ。

宇宙人《うちゅうじん》が週《しゅう》1で来襲《らいしゅう》し、『ウルトラセブン』の放送《ほうそう》が10年続《ねんつづ》いたとしても、日本《にほん》が舞台《ぶたい》になる話《はなし》は1回《かい》くらい。日本《にほん》のウルトラ警備隊《けいびたい》にいるウルトラセブンは、ものすごくヒマ……。

しかしそうではなく、番組《ばんぐみ》では宇宙人《うちゅうじん》が毎週《まいしゅう》のように日本《にほん》を攻《せ》めてきた。これと同《おな》じ割合《わりあい》で世《せ》界中《かいじゅう》に飛来《ひらい》していたとすれば、地球《ちきゅう》に来《き》た宇宙人《うちゅうじん》の総数《そうすう》は、1年間《ねんかん》で1万《まん》5千種族《せんしゅぞく》、1日《にち》に41種《しゅ》族《ぞく》という計算《けいさん》になる！　地球《ちきゅう》は狙《ねら》われすぎであり、もう間違《まちが》いなく征服《せいふく》されてしまうだろう。

——などと考《かんが》えると、宇宙人《うちゅうじん》はやはり、日本《にほん》をピンポイントで狙《ねら》っているのではないだろうか。

すると、それはなぜなのか。

え？　日本《にほん》で作《つく》られた作品《さくひん》だから、地球侵略《ちきゅうしんりゃく》の舞台《ぶたい》が日本《にほん》になるのも当然《とうぜん》？　ほう、そんな冷《さ》めたオトナの見方《みかた》をしますか。

筆者《ひっしゃ》は心配《しんぱい》する。本当《ほんとう》にそんな理由《りゆう》だったら、それに越《こ》したことはない。そうではなく、もしも日本《にほん》が宇宙人《うちゅうじん》に狙《ねら》われやすい条件《じょうけん》を備《そな》えていたとしたら……。

◆確《たし》かに日本《にほん》がふさわしい

日本《にほん》には四季《しき》がある。降水量《こうすいりょう》も世界《せかい》47位《い》と多《おお》すぎず、少《すく》なすぎず、生物《せいぶつ》が生《い》きるのに適《てき》した環《かん》境《きょう》だ。一方《いっぽう》で、日本《にほん》は世界有数《せかいゆうすう》の地震大国《じしんたいこく》であり、火山大国《かざんたいこく》である。台風《たいふう》も頻繁《ひんぱん》に襲来《しゅうらい》する。

このような地域《ちいき》は、宇宙人《うちゅうじん》の目《め》にどう映《うつ》るのだろう？　居住《きょじゅう》や観光《かんこう》が目的《もくてき》なら「住《す》みやすそうだけど、自然災害《しぜんさいがい》がちょっと不安《ふあん》かなあ」と微妙《びみょう》に迷《まよ》うかもしれない。だが、侵略《しんりゃく》を目的《もくてき》にしているとしたら、違《ちが》う観点《かんてん》から考《かんが》えるのではないか。

たとえば、マグニチュード8の地震《じしん》は石油《せきゆ》１４０万《まん》t、大型《おおがた》の台風《たいふう》は1日《にち》あたり石油《せきゆ》10億《おく》tと同《おな》じエネルギーを放《はな》つ。日本《にほん》が1年《ねん》に輸入《ゆにゅう》している燃料《ねんりょう》は、石油《せきゆ》と天然《てんねん》ガスを合《あ》わせても3億《おく》t弱《じゃく》だから、莫大《ばくだい》なエネルギーだ。もしこれらをエネルギー源《げん》として活用《かつよう》できる宇宙人《うちゅうじん》がいたら「ワレワレノ侵略目標《シンリャクモクヒョウ》ハ日本《ニホン》ダ！」と即決《そっけつ》しても不思議《ふしぎ》ではない。

そう考《かんが》えて、筆者《ひっしゃ》は本気《ほんき》で心配《しんぱい》になったりもするのだが、特撮番組《とくさつばんぐみ》の宇宙人《うちゅうじん》たちは、どんな目《もく》的《てき》で日本《にほん》に来《き》たのだろうか。ここでは『ウルトラ』シリーズの宇宙人《うちゅうじん》に注目《ちゅうもく》しよう。

たとえば、『ウルトラセブン』のバンダ星人《せいじん》は、巨大《きょだい》なロボット・クレージーゴンを操《あやつ》って、たくさんの自動車《じどうしゃ》を捕獲《ほかく》した。その目的《もくてき》は「鉄《てつ》を手《て》に入《い》れること」。彼《かれ》らは、自分《じぶん》たちの星《ほし》の鉄《てつ》資源《しげん》を使《つか》い尽《つ》くしてしまったのだという。

この番組《ばんぐみ》が放送《ほうそう》された１９６７年《ねん》、日本《にほん》は自動車《じどうしゃ》の生産台数《せいさんだいすう》で、西《にし》ドイツ(当時《とうじ》、ドイツは東西《とうざい》に分《わ》かれていた)を抜《ぬ》いて、世界《せかい》2位《い》に躍《おど》り出《で》た。「だったら、1位《い》のアメリカに行《い》ってくれ」と言《い》いたくなるが、国土面積当《こくどめんせきあ》たりの台数《だいすう》、つまり自動車《じどうしゃ》の密集度《みっしゅうど》は、アメリカの9倍《ばい》！　効率的《こうりつてき》に自動車《じどうしゃ》を集《あつ》めたいなら、狙《ねら》うは日本《にほん》だ。

また、66年放送《ねんほうそう》の『ウルトラマン』では、バルタン星人《せいじん》が日本《にほん》に飛来《ひらい》した。その目的《もくてき》は、移住《いじゅう》先《さき》を探《さが》す旅《たび》の途中《とちゅう》で円盤《えんばん》が故障《こしょう》したため、その修理《しゅうり》に必要《ひつよう》なダイオードを手《て》に入《い》れることだった。ところが来《き》てみたら、地球《ちきゅう》が彼《かれ》らが住《す》むのにぴったりの星《ほし》だったので、目標《もくひょう》を侵略《しんりゃく》に切《き》り替《か》えたのだという。

意外《いがい》と行《い》き当《あ》たりばったりのバルタン星人《せいじん》だが、最初《さいしょ》の目的《もくてき》からすると、日本《にほん》に飛来《ひらい》したのもうなずける。放送《ほうそう》に先立《さきだ》つ57年《ねん》、東京通信工業《とうきょうつうしんこうぎょう》(現《げん》・ソニー)の江崎玲於奈《えさきれおな》博士《はかせ》がトンネルダイオードを発明《はつめい》し、同社《どうしゃ》は世界《せかい》に先駆《さきが》けてダイオードの生産《せいさん》を開始《かいし》していた、という事実《じじつ》があるのだ。バルタン星人《せいじん》がそれを知《し》っていたとすれば、日本《にほん》にやってきたのも当然《とうぜん》といえよう。

『ウルトラセブン』からもう1例《れい》。メトロン星人《せいじん》は、人間《にんげん》を凶暴化《きょうぼうか》させる赤《あか》い結晶体《けっしょうたい》をタバコに仕込《しこ》み、こっそり自動販売機《じどうはんばいき》に入《い》れていた。このタバコを吸《す》った人間《にんげん》たちが次々《つぎつぎ》に暴《あば》れ始《はじ》めるため、人々《ひとびと》は他人《たにん》を信頼《しんらい》しなくなり、社会《しゃかい》は崩壊《ほうかい》する……という悪辣《あくらつ》な作戦《さくせん》であった。

放送当時《ほうそうとうじ》、日本人《にほんじん》の喫煙率《きつえんりつ》は先進国《せんしんこく》のなかでオランダ、イタリアに次《つ》ぐ世界《せかい》3位《い》。男性《だんせい》の喫煙《きつえん》率《りつ》は、なんと82・3%だったのだ！ そのうえ、世界《せかい》に類例《るいれい》のないタバコ自販機大国《じはんきたいこく》。メトロン星人《せいじん》に狙《ねら》われるのも当《あ》たり前《まえ》である。

◆他《ほか》の国《くに》に行《い》ってくれ

至極《しごく》もっともな理由《りゆう》で日本《にほん》を目指《めざ》した宇宙人《うちゅうじん》は、他《ほか》にもいる。

『ウルトラマンタロウ』に登場《とうじょう》した、きさらぎ星人《せいじん》オニバンバは、パッと見《み》、鬼《おに》にそっくりだった。この宇宙人《うちゅうじん》がやってきた理由《りゆう》は、怪獣図鑑《かいじゅうずかん》によれば「節分《せつぶん》の日《ひ》に、鬼《おに》がいじめられるのをくやしく思《おも》って」。節分《せつぶん》に豆《まめ》をまくのは日本《にほん》だけだから、確《たし》かにあんたは、日本《にほん》に来《く》るしかありませんな。

また、『ウルトラマンレオ』のバーミン星人《せいじん》は、花咲《はなさ》かじいさんに化《ば》けて枯《か》れ木《き》に花《はな》を咲《さ》かせ、その魔力《まりょく》で子《こ》どもたちを眠《ねむ》らせようとした。キミの場合《ばあい》、日本以外《にほんいがい》でそれをやっても、誰《だれ》に化《ば》けているんだか、サッパリわかってもらえんでしょう。

一方《いっぽう》で、微妙《びみょう》なのが『ウルトラマンA《エース》』のスチール星人《せいじん》だ。この宇宙人《うちゅうじん》が日本《にほん》に来《き》た目的《もくてき》は「パンダを自分《じぶん》の星《ほし》に連《つ》れて帰《かえ》ること」。

野生《やせい》のジャイアントパンダが生存《せいぞん》するのは中国《ちゅうごく》だけだから、なぜ日本《にほん》に来《き》たのか、理解《りかい》に苦《くる》しむ話《はなし》である。だが、この番組《ばんぐみ》の放送《ほうそう》は73年《ねん》1月《がつ》で、前年《ぜんねん》11月《がつ》に中国《ちゅうごく》から贈《おく》られたパンダが、上野《うえの》動物園《どうぶつえん》で初公開《はつこうかい》されたばかり。当時日本《とうじにほん》では熱狂的《ねっきょうてき》なパンダブームが起《お》きていたのだ。

筆者《ひっしゃ》もうっすらと覚《おぼ》えているが、確《たし》かにすごいブームだったから、スチール星人《せいじん》もつい間違《まちが》え

て日本《にほん》に来《き》た……のかなあ。

さらにわからないのは、次《つぎ》の連中《れんちゅう》だ。

『ウルトラセブン』のキュラソ星人《せいじん》は、故郷《こきょう》の星《ほし》の刑務所《けいむしょ》から脱獄《だつごく》してきた宇宙人《うちゅうじん》。ガソリンを常食《じょうしょく》とするため、ガソリンスタンドを襲《おそ》っていた。だが日本《にほん》で石油《せきゆ》はごくわずかしか取《と》れない。他《ほか》を当《あ》たってくれ！

『ウルトラマンタロウ』のテンペラー星人《せいじん》は、ウルトラ6兄弟《きょうだい》を倒《たお》すために地球《ちきゅう》へ来《き》た。放送《ほうそう》当時《とうじ》、兄弟《きょうだい》のなかで日本《にほん》にいたのはタロウだけだ。ウルトラ兄《きょう》弟《だい》を倒《たお》したいなら、ウルトラの星《ほし》へ行《い》きなさい！

『ウルトラマンレオ』の鬼怪獣《おにかいじゅう》オニオンは、怪獣図鑑《かいじゅうずかん》によれば「くだもの、とくにリンゴが大好《だいす》きで、ニワトリが大《だい》きらい。たくさんくだものを食《た》べる目的《もくてき》で、地球《ちきゅう》にきた」。

放送当時《ほうそうとうじ》の74年《ねん》、日本《にほん》のリンゴ生産高《せいさんだか》はデータの確認《かくにん》できる13ヵ国中《こくちゅう》9位《い》である。鶏《にわとり》は29ヵ国中《こくちゅう》5位《い》。キミの嫌《きら》いな鶏《にわとり》のほうが、ずっと多《おお》いぞ！

『ウルトラマンタロウ』の宇宙少年《うちゅうしょうねん》ファイル星人《せいじん》は、逃《に》げ出《だ》した酔《よ》っぱらい怪獣《かいじゅう》ベロンを連《つ》れ戻《もど》すためにやってきた。彼《かれ》が日本《にほん》に来《き》たのは、ベロンが日本《にほん》に来《き》たからで、それは納得《なっとく》するほかない。では、なぜベロンは日本《にほん》に来《き》たのか？

怪獣図鑑《かいじゅうずかん》の記述《きじゅつ》によれば「酔《よ》った勢《いきお》い」。うはは、漫才《まんざい》のオチかっつーの。

——というわけで、宇宙人《うちゅうじん》たちが日本《にほん》を狙《ねら》う理由《りゆう》は、わかったり、わからなかったり。

でも、いまのところ、地震《じしん》や火山《かざん》や台風《たいふう》のエネルギーを利用《りよう》しようとする宇宙人《うちゅうじん》はいないようで、それが不幸中《ふこうちゅう》の幸《さいわ》いだと筆者《ひっしゃ》は思《おも》います。

とっても気《き》になるマンガの疑問《ぎもん》

『ワールドトリガー』で、小柄《こがら》な遊真《ゆうま》が巨大《きょだい》な怪物《かいぶつ》を蹴《け》り倒《たお》しました。どんなキック力《りょく》ですか？

面白《おもしろ》いマンガを読《よ》んでいると、心《こころ》から「マンガっていいなあ！」と思《おも》うことがある。最近《さいきん》だと『ワールドトリガー』でそう感《かん》じたなあ。ストーリーもキャラクターもアクションも、とても丁《てい》寧《ねい》に描《えが》いてあって、読《よ》みながら「えーと、これどうなってんの？」などと考《かんが》え込《こ》むことがない。壮大《そうだい》なＳＦ《エスエフ》なのに安心《あんしん》して楽《たの》しめる、というのは、おっちょこちょいの筆者《ひっしゃ》にはとても嬉《うれ》しいことなのだ。

４年前《ねんまえ》のある日《ひ》、物語《ものがたり》の舞台《ぶたい》となった街《まち》に異世界《いせかい》への門《ゲート》が開《ひら》いた。その門《ゲート》から送《おく》り込《こ》まれたのは、見《み》たこともない巨大《きょだい》な怪物《かいぶつ》たち。異世界《いせかい》に住《す》む「近界民《ネイバー》」が、こちら側《がわ》の世界《せかい》を侵略《しんりゃく》するために送《おく》り込《こ》んできたものだった。怪物《かいぶつ》には通常兵器《つうじょうへいき》が効《き》かず、被害《ひがい》は拡大《かくだい》する。そのとき、謎《なぞ》の集団《しゅうだん》が現《あらわ》れ、怪物《かいぶつ》を撃退《げきたい》した。彼《かれ》らこそ、界境防衛機関《かいきょうぼうえいきかん》「ボーダー」だった。彼《かれ》らは以前《いぜん》から近界民《ネイバー》の存在《そんざい》を把握《はあく》していて、戦《たたか》う準備《じゅんび》を整《ととの》えていたのだ。

ボーダー隊員《たいいん》たちの装備《そうび》している武器《ぶき》が「トリガー」である。この特殊《とくしゅ》な装置《そうち》は、使用者《しようしゃ》の体《からだ》を頑強《がんきょう》な戦闘体《せんとうたい》に変《か》え、同時《どうじ》に剣《けん》・銃《じゅう》・盾《たて》などの武器《ぶき》を使用者《しようしゃ》に与《あた》える。

トリガーのなかでも空閑遊真《くがゆうま》の持《も》つ黒《ブラック》トリガーは絶大《ぜつだい》な威力《いりょく》を誇《ほこ》る。街《まち》に体高数《たいこうすう》mの怪物《かいぶつ》バムスターが出現《しゅつげん》したとき、遊真《ゆうま》はトリガーの機能《きのう》の一《ひと》つ『弾《バウンド》』印を発動《はつどう》させ、飛《と》び蹴《げ》り一発《いっぱつ》で、巨大《きょだい》な怪物《かいぶつ》を倒《たお》してしまった。ここで考《かんが》えたい。このトリガーを使《つか》ったキックは、いったいどれほどの威力《いりょく》だったのか？

◆トリガーとは何《なに》か？

『ワールドトリガー』の作品世界《さくひんせかい》において、トリガーとは次《つぎ》のようなものらしい。

人間《にんげん》は誰《だれ》でも、心臓《しんぞう》の横《よこ》に「トリオン器官《きかん》」という臓器《ぞうき》を持《も》っていて、そこで「トリオン」という生体《せいたい》エネルギーを作《つく》り出《だ》している。この架空《かくう》の医学的設定《いがくてきせってい》が、作品世界《さくひんせかい》の根幹《こんかん》になっている。

そしてトリガーという装置《そうち》は、使用者《しようしゃ》のトリオンに働《はたら》きかけることで、次《つぎ》の2つの機能《きのう》を生《う》み出《だ》す。

①使用者《しようしゃ》のトリオンから、生身《なまみ》の体《からだ》とは別個《べっこ》の戦闘用《せんとうよう》の体《からだ》(戦闘体《せんとうたい》)を作《つく》り出《だ》す。この戦闘体《せんとうたい》がいくらダメージを受《う》けても、生身《なまみ》の体《からだ》には影響《えいきょう》しない。

②トリオンから銃《じゅう》や剣《けん》などの武器《ぶき》を生《う》み出《だ》す。

トリガーの実体《じったい》はサイズ数《すう》㎜の小《ちい》さなチップで、拳銃《けんじゅう》のグリップ(握《にぎ》る部分《ぶぶん》)のような形状《けいじょう》をした「トリガーホルダー」に、最大《さいだい》8つまでセットできる。どのトリガーをセットするかで、出現《しゅつげん》させられる武装《ぶそう》と戦《たたか》い方《かた》が決《き》まる。

以上《いじょう》は、一般《いっぱん》のボーダー隊員《たいいん》が持《も》っている通常《つうじょう》のトリガーの説明《せつめい》だ。遊真《ゆうま》の黒《ブラック》トリガーは、彼《かれ》の父親《ちちおや》が瀕死《ひんし》の息子《むすこ》を救《すく》うために、自分《じぶん》の命《いのち》と引《ひ》き換《か》えに作《つく》ったものだ。そのため、威力《いりょく》は通《つう》常《じょう》のトリガーとはケタ違《ちが》い。形状《けいじょう》も、チップではなく指輪《ゆびわ》の形《かたち》をしている。

遊真《ゆうま》がトリガーを起動《きどう》させると、ウサギのような姿《すがた》をした「レプリカ」が出現《しゅつげん》する。レプリカは遊真《ゆうま》のお目付役《めつけやく》で、遊真《ゆうま》の左手《ひだりて》と一体化《いったいか》して動《うご》き、事《こと》あるごとに助言《じょげん》をしてくれる。また、遊《ゆう》真《ま》が指示《しじ》すると、レプリカの背中《せなか》に『弾《バウンド》』印、『強《ブースト》』印、『盾《シールド》』印などの印《いん》が現《あらわ》れ、それらを選択《せんたく》することでさまざまな攻撃《こうげき》と防御《ぼうぎょ》が行《おこな》える。

最初《さいしょ》の戦《たたか》いで発動《はつどう》させたのは『弾《バウンド》』印だった。レプリカの背中《せなか》にこの印《いん》が浮《う》かび上《あ》がると、地《ち》上《じょう》の都合《つごう》のいい場所《ばしょ》に『弾《バウンド》』印を出現《しゅつげん》させられるのだ。そして、地上《ちじょう》の『弾《バウンド》』印を遊真《ゆうま》が踏《ふ》むと、まるで超小型《ちょうこがた》かつ超強力《ちょうきょうりょく》なトランポリンで跳《は》ねたように、自分《じぶん》の体《からだ》を高速《こうそく》で跳躍《ちょうやく》させることができる。

怪物《かいぶつ》バムスターと戦《たたか》ったときは、遊真《ゆうま》は『弾《バウンド》』印を踏《ふ》んで大《だい》ジャンプ！　体《からだ》は超高速《ちょうこうそく》で一直線《いっちょくせん》に飛《と》んでいき、巨大《きょだい》なバムスターを蹴《け》っ飛《と》ばした。

◆月《つき》まで跳《と》んでいける！

このとき遊真《ゆうま》は、どれほどのキックを見舞《みま》ったのだろうか。

怪物《かいぶつ》バムスターは、イモムシとゾウを合体《がったい》させたような姿《すがた》をしている。その体高《たいこう》をマンガのコマで測定《そくてい》すると、7・5mほどもある。マンガでは全体像《ぜんたいぞう》が描《えが》かれていないが、頭部《とうぶ》とのバランスから、体《からだ》の全長《ぜんちょう》は同《おな》じ体高《たいこう》のゾウの2倍《ばい》くらいありそうだ。アフリカゾウの体重《たいじゅう》は最大《さいだい》で10ｔだから、これらをもとに計算《けいさん》すると、バムスターの体重《たいじゅう》は99ｔということになる。そんなヤツを蹴《け》っ飛《と》ばしたの!?

遊真《ゆうま》に蹴《け》られた直後《ちょくご》、バムスターの体《からだ》は、45度《ど》ほど傾《かたむ》いていた。ここからわかるのは、遊真《ゆうま》がキックの衝撃《しょうげき》で、バムスターの体《からだ》を時速《じそく》20㎞で突《つ》き動《うご》かしたということだ。

これは実《じつ》にオソロシイ話《はなし》である。

軽《かる》い物体《ぶったい》がぶつかって、重《おも》い物体《ぶったい》を動《うご》かすのは大変《たいへん》なことだ。遊真《ゆうま》は中学《ちゅうがく》3年生《ねんせい》にしては小柄《こがら》で、公式発表《こうしきはっぴょう》で身長《しんちょう》1m41㎝。小学生《しょうがくせい》の平均体格《へいきんたいかく》から計算《けいさん》すると、体重《たいじゅう》は35㎏ほどと考《かんが》えられる。遊真《ゆうま》にとって、バムスターの体重《たいじゅう》99tとは、自分《じぶん》の2800倍《ばい》も重《おも》いわけだ。

これを蹴《け》って、時速《じそく》20㎞で動《うご》かすには、その2800倍《ばい》のスピードでぶつかる必要《ひつよう》がある。すなわち時速《じそく》5万《まん》6千《せん》㎞！　マッハ46だ！

地球上《ちきゅうじょう》でマッハ33以上《いじょう》の高速《こうそく》を出《だ》すと、地球《ちきゅう》の重力《じゅうりょく》を振《ふ》り切《き》って、宇宙《うちゅう》へ飛《と》んでいってしまう。マッハ46はこの速度《そくど》をはるかに超《こ》えているから、つまり遊真《ゆうま》は、その気《き》になれば『弾《バウンド》』印を踏《ふ》んで月《つき》まで跳《と》べるということだ。黒《ブラック》トリガーの力《ちから》、恐《おそ》るべし！

◆ものすごい加速度《かそくど》だ〜！

この『弾《バウンド》』印というトリガー技《わざ》について、作者《さくしゃ》の葦原大介先生《あしはらだいすけせんせい》は、コミックスの解説《かいせつ》ページで次《つぎ》のように説明《せつめい》されている。「物体《ぶったい》を弾《はじ》いて撥《はじ》き跳《と》ばすことができる。自分《じぶん》でも他人《たにん》でも物《もの》でも何《なん》でも跳《と》ばせる。生身《なまみ》の人間《にんげん》だと加速度《かそくど》で死《し》ぬ」。

加速度《かそくど》で死《し》ぬ!?　これはいったい、どういうことだろうか。

加速度《かそくど》というのは、一定時間《いっていじかん》に速度《そくど》がどのような勢《いきお》いで変化《へんか》するかを表《あらわ》したものだ。自動車《じどうしゃ》が急発進《きゅうはっしん》するときは、短《みじか》い時間《じかん》で速度《そくど》が速《はや》くなるので、加速度《かそくど》が大《おお》きいことになる。

われわれがよく経験《けいけん》する加速度《かそくど》に「重力加速度《じゅうりょくかそくど》」がある。地球上《ちきゅうじょう》で物体《ぶったい》を落下《らっか》させると、１秒《びょう》ごとに秒速《びょうそく》９・８ｍずつ速《はや》くなる、というものだ。２秒後《びょうご》には秒速《びょうそく》１９・６ｍ、３秒後《びょうご》には秒速《びょうそく》２９・４ｍに達《たっ》する。この落下《らっか》のときの加速度《かそくど》を重力加速度《じゅうりょくかそくど》といい、「Ｇ《ジー》」という単位《たんい》で表《あらわ》す。

車《くるま》が急発進《きゅうはっしん》すると、体《からだ》がシートに押《お》しつけられるように、大《おお》きな加速度《かそくど》で運動《うんどう》すると、そのＧ《ジー》の値《あたい》に応《おう》じた力《ちから》を受《う》ける。遊園地《ゆうえんち》の絶叫《ぜっきょう》コースターで乗客《じょうきゃく》にかかる加速度《かそくど》は最大《さいだい》６Ｇ《ジー》程度《ていど》。これは、体重《たいじゅう》の６倍《ばい》の力《ちから》を受《う》けるということだ。戦闘機《せんとうき》のパイロットで最大《さいだい》９Ｇ《ジー》。そして人間《にんげん》は、10Ｇ《ジー》以上《いじょう》の加速度《かそくど》で失神《しっしん》するといわれている。

では、バムスターをキックで倒《たお》したとき、遊真《ゆうま》が受《う》けた加速度《かそくど》はどれくらいだろう。遊真《ゆうま》が『弾《バウンド》』印《いん》を踏《ふ》んだとき、腰《こし》を30㎝落《お》としたとすれば、印《いん》を踏《ふ》んでから飛《と》び出《だ》すまで０・００００３８秒《びょう》。この短《みじか》い時間《じかん》に、マッハ46に達《たっ》したとなると、その加速度《かそくど》はなんと４千万Ｇ《せんまんジー》！

つまり遊真《ゆうま》の体《からだ》には、自分《じぶん》の体重《たいじゅう》の４千万倍《せんまんばい》の力《ちから》がかかったわけだ。その力《ちから》とは、35㎏×４千《せん》万《まん》＝１４０万《まん》ｔ。東京《とうきょう》スカイツリー40本分《ぽんぶん》の重量物《じゅうりょうぶつ》が乗《の》っかったのと同《おな》じだ。普通《ふつう》だったら、全《ぜん》身《しん》が圧壊《あっかい》する。葦原先生《あしはらせんせい》のおっしゃるとおり、生身《なまみ》の人間《にんげん》なら確実《かくじつ》に死《し》ぬでしょう。

体重《たいじゅう》99ｔの敵《てき》を蹴《け》っ飛《と》ばすために、わが身《み》に１４０万《まん》ｔの力《ちから》を受《う》けた空閑遊真《くがゆうま》。なんだか割《わり》に合《あ》わない気《き》もするが、これに耐《た》え抜《ぬ》くとは、トリオンでできた体《からだ》はよほど頑丈《がんじょう》なのだろう。

もしあなたが道《みち》で『弾《バウンド》』印を見《み》つけても、決《けっ》して踏《ふ》まないように注意《ちゅうい》しよう。体《からだ》がツブれるよ。月《つき》まで行《い》っちゃうよ！

とっても気《き》になる歴史《れきし》の疑問《ぎもん》

『平家物語《へいけものがたり》』で、高熱《こうねつ》に苦《くる》しむ平清盛《たいらのきよもり》を水《みず》に浸《ひた》すと、水《みず》が沸騰《ふっとう》したそうです。本当《ほんとう》でしょうか？

「平家《へいけ》にあらずんば、人《ひと》にあらず」という言葉《ことば》を聞《き》いたことがあるだろうか。

貴族《きぞく》が政治《せいじ》の中心《ちゅうしん》だった平安時代《へいあんじだい》(７９４～１１９２年《ねん》)に、武士《ぶし》の身《み》でおおいに出世《しゅっせ》したのが、平清盛《たいらのきよもり》だった。平治《へいじ》の乱《らん》でライバルの源義朝《みなもとのよしとも》を倒《たお》すと、武士《ぶし》として初《はじ》めて政権《せいけん》を掌握《しょうあく》。それによって平家一族《へいけいちぞく》に権力《けんりょく》と富《とみ》を集中《しゅうちゅう》させ、清盛《きよもり》は「平家《へいけ》の一族《いちぞく》でなければ、人間《にんげん》とはいえない」と豪語《ごうご》したと伝《つた》えられているのだ。

なぜそんなに昔《むかし》の言葉《ことば》が知《し》られているかというと、その後《ご》の鎌倉時代《かまくらじだい》に書《か》かれた『平家物語《へいけものがたり》』に、そういう記述《きじゅつ》があるから。実際《じっさい》に「平家《へいけ》にあらずんば」と言《い》ったのは、清盛《きよもり》ではなく、義兄《ぎけい》

の平時忠《たいらのときただ》だったという説《せつ》もあるが、『平家物語《へいけものがたり》』に描《えが》かれている清盛《きよもり》は、傲慢《ごうまん》で残虐《ざんぎゃく》。大変《たいへん》な悪役《あく》になっている。

そして『平家物語《へいけものがたり》』には清盛《きよもり》の最期《さいご》も描《えが》かれているのだが、これがものすごい！　病《やまい》に倒《たお》れた清盛《きよもり》は高熱《こうねつ》を発《はっ》して苦《くる》しんだ。そこで、比叡山《ひえいざん》から冷《つめ》たい水《みず》を汲《く》んできて石《いし》の水槽《すいそう》に入《い》れ、そこに清盛《きよもり》を浸《ひた》したところ、水《みず》はたちまち沸騰《ふっとう》。樋《とい》から水《みず》をかけると、炎《ほのお》となって燃《も》えたというのだ。

え〜っ!?

言《い》うまでもなく、平清盛《たいらのきよもり》は実在《じつざい》した人物《じんぶつ》だ。それなのに『ジュニア空想科学読本《くうそうかがくどくほん》』に出《で》てくるマンガやアニメのキャラクターもビックリの話《はなし》である。これ、本当《ほんとう》なのだろうか？　本当《ほんとう》だとしたら、平清盛《たいらのきよもり》とはどれほど超人的《ちょうじんてき》な人物《じんぶつ》ということになってしまうのか!?

◆ウルトラセブンより体調《たいちょう》が悪《わる》い！

清盛《きよもり》がどれほどの高熱《こうねつ》に苦《くる》しんだか、『平家物語《へいけものがたり》』の描写《びょうしゃ》を現代語訳《げんだいごやく》すると、こんな感《かん》じだ。

4、5間以内《けんいない》に近《ちか》づくと、暑《あつ》さは耐《た》えがたい。

水《みず》を石《いし》の水槽《すいそう》に湛《たた》え、体《からだ》を沈《しず》めて冷《ひ》やすと、水《みず》はすごく沸《わ》きあがり、すぐにお湯《ゆ》になった。

樋《とい》の水《みず》をかけると、焼《や》けた石《いし》や鉄《てつ》のように水《みず》がほとばしって、寄《よ》りつきもしない。

たまたま当《あ》たる水《みず》は、炎《ほのお》となって燃《も》え、黒《くろ》い煙《けむり》が御殿《ごてん》に満《み》ち満《み》ちて、炎《ほのお》が渦巻《うずま》いた。

う〜む。筆者《ひっしゃ》の好《す》きな『ウルトラセブン』の最終回《さいしゅうかい》に、モロボシ・ダンが体調《たいちょう》を崩《くず》して、90℃もの高熱《こうねつ》に苦《くる》しむ……という有名《ゆうめい》なエピソードがあるが、それと同《おな》じくらい悪化《あっか》してないか、清《きよ》盛《もり》の体調《たいちょう》!?

このとき、清盛《きよもり》の体温《たいおん》はいったい何《なん》℃あったのか。右《みぎ》の描写《びょうしゃ》から、具体的《ぐたいてき》に考《かんが》えてみよう。

まず「4、5間以内《けんいない》に近《ちか》づくと、暑《あつ》さは耐《た》えがたい」から。「間《けん》」というのは昔《むかし》の長《なが》さの単位《たんい》で、4間《けん》は7・3m、5間《けん》は9・1m。耐《た》えがたい暑《あつ》さというのを「真夏《まなつ》の太陽光《たいようこう》の2倍《ばい》の熱量《ねつりょう》」と仮定《かてい》し、人体《じんたい》がそれほどの熱《ねつ》を放射《ほうしゃ》する温度《おんど》を計算《けいさん》してみると……、うおおおっ！距離《きょり》7・3mで耐《た》えがたい暑《あつ》さなら、清盛《きよもり》の体温《たいおん》は1500℃！9・1mなら1700℃である！「体温《たいおん》90℃のウルトラセブンなんか平熱《へいねつ》のうち！」と思《おも》えるほどの高熱《こうねつ》だ。

ここでは体温《たいおん》を1500℃と仮定《かてい》して、次《つぎ》の描写《びょうしゃ》を考《かんが》えよう。「水槽《すいそう》に体《からだ》を沈《しず》めると、水《みず》が沸《ふっ》騰《とう》して、たちまちお湯《ゆ》になる」というのはオドロキだが、水《みず》は100℃で沸騰《ふっとう》するから、体温《たいおん》が1500℃もあれば、むしろ当然《とうぜん》の現象《げんしょう》である。

清盛《きよもり》の体重《たいじゅう》を60kgとするなら、体温《たいおん》が1500℃もあったら、体《からだ》に蓄《たくわ》えられた熱《ねつ》で、水温《すいおん》20℃の水《みず》が140L蒸発《リットルじょうはつ》する。現代《げんだい》の一般家庭《いっぱんかてい》の浴槽《よくそう》だったら、水《みず》が3分《ぶん》の1に減《へ》るわけだ。

難《むずか》しいのが、それに続《つづ》く描写《びょうしゃ》である。「水《みず》がほとばしって寄《よ》りつかない」とは、触《ふ》れた水《みず》が瞬時《しゅんじ》に蒸発《じょうはつ》し、その圧力《あつりょく》であとから来《く》る水《みず》が跳《は》ね返《かえ》される様子《ようす》を活写《かっしゃ》しているのだろう。熱《ねっ》したフライパンに水《みず》を落《お》とすと、丸《まる》い水滴《すいてき》になってフライパンの上《うえ》を走《はし》り回《まわ》るが、これと同《おな》じ「ライデンフロスト」と呼《よ》ばれる現象《げんしょう》が起《お》こっていると思《おも》われる。人《ひと》の体《からだ》の上《うえ》なのに。

では「水《みず》が炎《ほのお》となって燃《も》える」とは？　水《みず》は、水素《すいそ》が酸素《さんそ》と結《むす》びつくことによってできたものだ。すでに反応《はんのう》が終《お》わっているので、どれだけ熱《ねつ》を加《くわ》えても、それ以上燃《いじょうも》えることはない。普通《ふつう》に考《かんが》えれば、水《みず》は燃《も》えないはずなのだ。

ひとつだけ可能性《かのうせい》があるとしたら、あまりの高熱《こうねつ》で、水《みず》が水素《すいそ》と酸素《さんそ》に分解《ぶんかい》され、これで生《しょう》じた水素《すいそ》が、再《ふたた》び燃《も》えている場合《ばあい》。だが、それを可能《かのう》にする温度《おんど》とは、2万《まん》9千《せん》℃だ！　太陽《たいよう》の表《ひょう》面《めん》でさえ6千《せん》℃だから、清盛《きよもり》はそれよりずっと熱《あつ》いことになる。

これほどの高温《こうおん》にさらされて、形《かたち》を保《たも》っていられる物質《ぶっしつ》は、存在《そんざい》しない。清盛《きよもり》が寝《ね》かされていた石《いし》の水槽《すいそう》も、その下《した》の床《ゆか》も、たちまち蒸発《じょうはつ》する。さらにその下《した》の地面《じめん》も同様《どうよう》で、清盛《きよもり》は大地《だいち》をしゅわしゅわ蒸発《じょうはつ》させながら地球《ちきゅう》の中心《ちゅうしん》へと沈《しず》んでいくことになるだろう。

すごい。歴史《れきし》に残《のこ》る大悪人《だいあくにん》にふさわしい最期《さいご》である……って、SF映画《エスエフえいが》のエンディングじゃないんだから！

◆太陽《たいよう》をバックさせた!?

ところで、『平家物語《へいけものがたり》』の描写《びょうしゃ》をもとに、筆者《ひっしゃ》は清盛《きよもり》を悪人悪人《あくにんあくにん》と述《の》べてきたが、「実際《じっさい》には温《おん》厚《こう》で度量《どりょう》の大《おお》きい人《ひと》だった」など、いろいろな説《せつ》があるようだ。小説《しょうせつ》やドラマも『平家物語《へいけものがたり》』を元《もと》にすることが多《おお》いから、どうしても悪役《あくやく》というイメージが刷《す》り込《こ》まれてしまうけど、この点《てん》は注意《ちゅうい》が必要《ひつよう》だと思《おも》う。

実際《じっさい》、平清盛《たいらのきよもり》は赴任地《ふにんち》の広島《ひろしま》で土木工事《どぼくこうじ》をいくつも行《おこな》い、それは今《いま》なお人々《ひとびと》の生活《せいかつ》に役立《やくだ》っている。以前《いぜん》、広島《ひろしま》でタクシーに乗《の》ったとき、運転手《うんてんしゅ》さんが「清盛公《きよもりこう》」と尊敬《そんけい》する言《い》い方《かた》をしていたし、ある居酒屋《いざかや》のご主人《しゅじん》に「清盛《きよもり》がすごい熱《ねつ》を出《だ》した話《はなし》をご存《ぞん》じですか？」と聞《き》いたところ、彼《かれ》は平然《へいぜん》と答《こた》えた。「そりゃあ、すごいお人《ひと》じゃけえ。太陽《たいよう》を後戻《あともど》りさせたこともあるけんのう」。

えッ、太陽《たいよう》を後戻《あともど》りさせた……!? 調《しら》べてみると、確《たし》かに清盛《きよもり》には「日招《ひまね》き伝説《でんせつ》」というのがあるようだ。海岸《かいがん》で大規模《だいきぼ》な土木工事《どぼくこうじ》を行《おこな》っていたら、日《ひ》が暮《く》れてきた。そこで清盛《きよもり》が山《やま》の上《うえ》に立《た》ち、金《きん》の扇《おうぎ》を振《ふ》って「返《かえ》せ、戻《もど》せ」と叫《さけ》んだところ、太陽《たいよう》は舞《ま》い戻《もど》った……。

いや、これを科学的《かがくてき》に理解《りかい》しようとすると、あまりの大事件《だいじけん》！ 太陽《たいよう》が東《ひがし》から西《にし》へ動《うご》くのは、地球《ちきゅう》が西《にし》から東《ひがし》へ自転《じてん》しているからだ。すると、清盛《きよもり》は地球《ちきゅう》の自転《じてん》を逆転《ぎゃくてん》させたという話《はなし》になり、そんなことをすると、人《ひと》も建物《たてもの》も木《き》も山《やま》も、それまでの自転《じてん》の勢《いきお》いで東《ひがし》へぶっ飛《と》ばされる。地下《ちか》のマントルも激《はげ》しく流動《りゅうどう》し、大噴火《だいふんか》、大地震《おおじしん》、大陸移動《たいりくいどう》が起《お》こり、最終的《さいしゅうてき》に地表《ちひょう》はドロドロのマグマになる。つまり、地球《ちきゅう》は大滅亡《だいめつぼう》……！

恐《おそ》ろしい人《ひと》じゃのう、平清盛《たいらのきよもり》。マンガやアニメに限《かぎ》らず、科学的《かがくてき》にすごすぎる人《ひと》というのは、昔《むかし》からいたのですなあ。

とっても気《き》になる特撮《とくさつ》の疑問《ぎもん》

『仮面《かめん》ライダー龍騎《りゅうき》』で、地上《ちじょう》にブラックホールを作《つく》っていました。そんなことして大丈夫《だいじょうぶ》ですか？

いちばん初《はじ》めの『仮面《かめん》ライダー』が始《はじ》まったのは1971年《ねん》4月《がつ》。夜《よる》や室内《しつない》など暗《くら》い場面《ばめん》が多《おお》く、効果音《こうかおん》もオドロオドロしくて、まるで怪奇《かいき》ドラマのようだった。初回《しょかい》の視聴率《しちょうりつ》は8・2％と低《ひく》かったらしいが、まあ無理《むり》もないよねー。

その重苦《おもくる》しさに、当時《とうじ》小学生《しょうがくせい》だった筆者《ひっしゃ》も初《はじ》めは腰《こし》が引《ひ》けていたのだが、少《すこ》しずつ惹《ひ》き込《こ》まれていった。主人公《しゅじんこう》・本郷猛《ほんごうたけし》は、悪《あく》の秘密結社《ひみつけっしゃ》ショッカーに体《からだ》を改造《かいぞう》されてしまい、その悲《かな》しみを背負《せお》って戦《たたか》う孤高《ここう》のヒーローだったのだ。警察《けいさつ》さえショッカーの存在《そんざい》を知《し》らぬなか、「俺《おれ》のような悲《かな》しい思《おも》いをする人《ひと》を二度《にど》と生《う》み出《だ》してはならない。おのれショッカー！」と正義《せいぎ》に燃《も》えて戦《たたか》う。その姿《すがた》に、筆者《ひっしゃ》はすっかり心酔《しんすい》してしまった……。

さて、そんな筆者《ひっしゃ》が平成《へいせい》ライダーシリーズの第《だい》3作《さく》『仮面《かめん》ライダー龍騎《りゅうき》』を見《み》たらどうなるでしょう？　いや、それはもうびっくり。まったくの異世界《いせかい》に飛《と》び込《こ》んだようだった。

『仮面《かめん》ライダー龍騎《りゅうき》』において、ライダーたちの戦場《せんじょう》は、鏡《かがみ》の向《む》こうのミラーワールド。そして登場《とうじょう》する仮面《かめん》ライダーはなんと13人《にん》！　敵《てき》はミラーモンスターと呼《よ》ばれる怪物《かいぶつ》だが、ライダー同《どう》士《し》も命《いのち》をかけて戦《たたか》う。ライダーに変身《へんしん》するには、まずミラーモンスターと契約《けいやく》しなければならない。そしてライダー同士《どうし》が戦《たたか》う理由《りゆう》は「最後《さいご》に残《のこ》った1人《ひとり》の望《のぞ》みがかなう」から。

おいっ、仮面《かめん》ライダーが自分《じぶん》の欲望《よくぼう》を満《み》たすために戦《たたか》うなんて、そんなのアリなのか!?　悲《かな》しみを抱《かか》え、人類《じんるい》の自由《じゆう》のために戦《たたか》うのが仮面《かめん》ライダーじゃなかったのか……。

◆えっ、戦《たたか》いはもう終《お》わり!?

前置《まえお》きが長《なが》くなったが、そんな『仮面《かめん》ライダー龍騎《りゅうき》』も、劇場版《げきじょうばん》にこんなエピソードがあると聞《き》いて、ググ～ッと心《こころ》が吸《す》い寄《よ》せられた。ミラーモンスターの1匹《ぴき》が、地上《ちじょう》にブラックホールを作《つく》ったというのだ！

ブラックホールとは、大《おお》きな星《ほし》がその寿命《じゅみょう》を終《お》えるとき、自分自身《じぶんじしん》の重力《じゅうりょく》でギュ～ッと潰《つぶ》れた天体《てんたい》だ。あまりに重力《じゅうりょく》が強《つよ》いため、近《ちか》くにあるものは、ちぎれ砕《くだ》かれてバラバラになりながら引《ひ》き寄《よ》せられる。光《ひかり》でさえも、ひとたび吸《す》い込《こ》まれたら二度《にど》と抜《ぬ》け出《だ》せない。その結果《けっか》、それ自身《じしん》は見《み》えないから「ブラックホール」と呼《よ》ばれるが、引《ひ》き込《こ》まれるガス同士《どうし》が激《はげ》しくぶつかり合《あ》って、強《つよ》い光《ひかり》を放《はな》つ。ああ、書《か》いているだけで恐《おそ》ろしい！

そんなモノを地上《ちじょう》に作《つく》ったら、地球《ちきゅう》はいったいどうなってしまうのか……？　期待《きたい》と不安《ふあん》を胸《むね》に、『劇場版《げきじょうばん》 仮面《かめん》ライダー龍騎《りゅうき》 EPISODE《エピソード》 FINAL《ファイナル》』を見《み》てみた。

この事件《じけん》を起《お》こしたのは、仮面《かめん》ライダー王蛇《おうじゃ》である。王蛇《おうじゃ》に変身《へんしん》するのは、浅倉威《あさくらたけし》。さまざまな罪《つみ》を犯《おか》したうえに、拘置所《こうちしょ》を脱走《だっそう》してきた男《おとこ》だ。彼《かれ》がかなえたい望《のぞ》みは「戦《たたか》い続《つづ》けること」。なんとまあ、昔《むかし》の『仮面《かめん》ライダー』なら、ショッカーに捕《つか》まって真《ま》っ先《さき》に怪人《かいじん》に改造《かいぞう》されてしまいそうな人物《じんぶつ》だよ〜。この仮面《かめん》ライダー王蛇《おうじゃ》と契約《けいやく》したモンスターが、他《ほか》の仮面《かめん》ライダーを倒《たお》すために、地上《ちじょう》でブラックホールを作《つく》ったのである。

ブラックホール攻撃《こうげき》を受《う》けたのは、唯一《ゆいいつ》の女性《じょせい》ライダー・仮面《かめん》ライダーファムだ。ファムに変身《へんしん》する霧島美穂《きりしまみほ》は、女詐欺師《おんなさぎし》。う〜む、こちらも怪人《かいじん》のほうが向《む》いていそうだなあ。

ライダーたちの人《ひと》となりはともかく、ブラックホールをめぐる戦《たたか》いはどう展開《てんかい》するのか？　仮面《かめん》ライダー王蛇《おうじゃ》が「ファイナルベント！」と唱《とな》えると、彼《かれ》と契約《けいやく》したモンスター・獣帝《じゅうてい》ジェ

ノサイダーの胸《むね》に、オレンジ色《いろ》をした菱形《ひしがた》が現《あらわ》れ、周囲《しゅうい》の空気《くうき》を吸《す》い込《こ》み始《はじ》めた。おお、光《ひか》っているのは、空気同士《くうきどうし》がぶつかっているからに違《ちが》いない。これぞまさに、ブラックホール!
恐《おそ》れ震《ふる》える間《ま》もなく、王蛇《おうじゃ》は、ブラックホールに向《む》かってファムを蹴《け》り飛《と》ばす! ファムは、頭《あたま》から吸《す》い込《こ》まれそうに! ああ、そうなったら彼女《かのじょ》の体《からだ》はバラバラにチギレ……と思《おも》った瞬《しゅん》間《かん》、王蛇《おうじゃ》に敵対《てきたい》するモンスターが出現《しゅつげん》し、獣帝《じゅうてい》ジェノサイダーに体当《たいあ》たり! これで獣帝《じゅうてい》はあ

えなく転《ころ》んでしまい、その結果《けっか》、ファムはブラックホールに吸《す》い込《こ》まれることなく、一直線《いっちょくせん》に飛《と》んでいって、コンクリートの床《ゆか》に投《な》げ出《だ》されたのだった。——以上《いじょう》、戦《たたか》い終了《しゅうりょう》。

ええ〜っ、ブラックホールという天文学的《てんもんがくてき》なモノまで作《つく》っておいて、たったそれだけっ!?

◆誰《だれ》が勝《か》っても、願《ねが》いは一《ひと》つ！

凄惨《せいさん》なことになるはずの戦《たたか》いが、獣帝《じゅうてい》とファムが転《ころ》ぶだけに終《お》わったのはなぜだろうか？

宇宙《うちゅう》のブラックホールは、いずれも太陽《たいよう》の30倍以上《ばいいじょう》の重《おも》さで、直径《ちょっけい》も１８０km以上《いじょう》ある。これに対《たい》して、『仮面《かめん》ライダー龍騎《りゅうき》』のブラックホールは直径《ちょっけい》40cmほどしかない。このあまりの小《ち》ささのために、影響《えいきょう》もわずかだったのか？

そんなことはないはずだ。直径《ちょっけい》40cmのブラックホールとは、重《おも》さが１４００兆《ちょう》tの1億倍《おくばい》で、地球《ちきゅう》の23倍《ばい》！　たった40cmなのに、地球《ちきゅう》の23倍《ばい》も重《おも》いのである。

これほどの重《おも》さがあったら、１００km離《はな》れた物体《ぶったい》にさえ、地球《ちきゅう》の重力《じゅうりょく》の9万倍《まんばい》の力《ちから》が働《はたら》く。人《ひと》も車《くるま》もビルも山《やま》も吸《す》い寄《よ》せられ、ちぎれ砕《くだ》けながら、次々《つぎつぎ》に呑《の》みこまれていくだろう。やがては地球《ちきゅう》そのものもバラバラになって吸《す》い込《こ》まれる！

この状況下《じょうきょうか》、参戦《さんせん》している仮面《かめん》ライダーの誰《だれ》が勝《か》ち残《のこ》っても、願《ねが》いは「そのブラックホールを消《け》してくれ！」になるだろう。いや、願《ねが》いをかなえるために戦《たたか》っているヒマはなく、全員《ぜんいん》があっという間《ま》に吸《す》い込《こ》まれ、『仮面《かめん》ライダー龍騎《りゅうき》』の物語《ものがたり》は完結《かんけつ》……。

いやいや、そうなってはいかん。劇中《げきちゅう》でそんな大惨事《だいさんじ》は起《お》こっていなかったし。すると、あの超小型《ちょうこがた》ブラックホールに、そこまでの重《おも》さはなかったということ？

◆どうやってもズタボロだあ！

視点《してん》を変《か》えて、劇中《げきちゅう》の描写《びょうしゃ》からブラックホールの重《おも》さを計算《けいさん》してみよう。

仮面《かめん》ライダー王蛇《おうじゃ》に蹴《け》られたとき、ファムはおよそ10m離《はな》れた獣帝《じゅうてい》ジェノサイダーに向《む》かって一直線《いっちょくせん》に飛《と》んでいった。王蛇《おうじゃ》のキック力《りょく》は20tといわれているが、それでも体重《たいじゅう》60kgのファムを蹴《け》り飛《と》ばせる距離《きょり》を計算《けいさん》すると、2・6mでしかない。それが10mも飛《と》んでいったということは、ファムの体《からだ》には、ブラックホールの重力《じゅうりょく》が強《つよ》く働《はたら》いていたのだと思《おも》われる。

そこで、10m離《はな》れたファムに、地表《ちひょう》の重力《じゅうりょく》の10倍《ばい》の重力《じゅうりょく》が働《はたら》いていたと仮定《かてい》しよう。その場合《ばあい》、ブラックホールの重《おも》さは1500億《おく》t。先《さき》ほど求《もと》めた「地球《ちきゅう》の23倍《ばい》」よりはずっと軽《かる》いが、それでも千《せん》m級《きゅう》の山《やま》1個分《こぶん》の重《おも》さだ。

この結果《けっか》、やっぱり惨事《さんじ》が起《お》こる。王蛇《おうじゃ》に蹴《け》られたファムは一直線《いっちょくせん》にすっ飛《と》んでいたが、獣帝《じゅうてい》が転《ころ》ぶ直前《ちょくぜん》、ファムがブラックホールに１ｍまで近《ちか》づいていたとすると、彼女《かのじょ》が受《う》ける重力《じゅうりょく》は地《ち》球《きゅう》の重力《じゅうりょく》の千倍《せんばい》！　獣帝《じゅうてい》が転《ころ》ぼうが何《なに》しようが、ファムはブラックホールに引《ひ》き寄《よ》せられて、そのまま吸《す》い込《こ》まれるはずだったのだ。なぜそうならなかったのかは、まったくのナゾである。

もちろん、ブラックホールに吸《す》い込《こ》まれなくて幸《さいわ》いだったと思《おも》うが、それでも筆者《ひっしゃ》はファムのその後《ご》が心配《しんぱい》だ。ブラックホールに距離《きょり》１ｍまで吸《す》い寄《よ》せられたとき、そのスピードは時速《じそく》４８０㎞にまで達《たっ》していた計算《けいさん》になる！　ファムはコンクリートの床《ゆか》に投《な》げ出《だ》されていたが、時速《じそく》４８０㎞で放《ほう》り出《だ》されたりしたら、何《なに》かにぶつからない限《かぎ》り、彼女《かのじょ》は地面《じめん》を１・８㎞もゴロゴロ転《ころ》がっていく。もう全身《ぜんしん》ズタボロ……。

地上《ちじょう》にブラックホールなんか作《つく》ると、やっぱり大変《たいへん》なことになるのだ。個人的《こじんてき》な願《ねが》いをかなえるためにブラックホールを作《つく》るなど、絶対《ぜったい》に思《おも》い留《とど》まっていただきたい。そしてできることなら、13人《にん》もいる仮面《かめん》ライダーたちには一致団結《いっちだんけつ》してもらって、正義《せいぎ》と世界平和《せかいへいわ》のために戦《たたか》ってもらいたい、と筆者《ひっしゃ》は心《こころ》から願《ねが》います。

とっても気《き》になるマンガの疑問《ぎもん》

関ヶ原《せきがはら》で日本中《にほんじゅう》の高校生《こうこうせい》が大《おお》ゲンカするマンガがあったとか。意味《いみ》がわからないのですが。

本書《ほんしょ》『ジュニア空想科学読本《くうそうかがくどくほん》⑤』のなかで、いちばんマイナーな題材《だいざい》が、ここで取《と》り上《あ》げるマンガ『竜馬翔《りょうまか》ける』だろうなあ。だが、マイナーだからといって甘《あま》く考《かんが》えてはいけませんぞ。インパクトというか、ビックリ感《かん》では本書《ほんしょ》でも有数《ゆうすう》かもしれない！

『竜馬翔《りょうまか》ける』の主人公《しゅじんこう》は坂本竜馬《さかもとりょうま》。こう書《か》くと「幕末時代劇《ばくまつじだいげき》？」と思《おも》うだろうが、舞台《ぶたい》は昭和《しょうわ》の後半《こうはん》である。主人公《しゅじんこう》の竜馬《りょうま》は、長曽我部高校《ちょうそかべこうこう》の1年生《ねんせい》なのだ。

その作品世界《さくひんせかい》において、全国《ぜんこく》の高校《こうこう》を支配《しはい》しているのは徳川学園《とくがわがくえん》。その独裁体制《どくさいたいせい》を打倒《だとう》するべく、竜馬《りょうま》が仲間《なかま》とともに立《た》ち上《あ》がる……という、やっぱりどう考《かんが》えても幕末《ばくまつ》そのままの展開《てんかい》で

である。だが、忘《わす》れてはならないのは、この作品《さくひん》では主人公《しゅじんこう》・竜馬《りょうま》も高校生《こうこうせい》だし、彼《かれ》の敵《てき》も仲間《なかま》も高校生《こうこうせい》だということ。だから、劇中《げきちゅう》で語《かた》られる「徳川学園《とくがわがくえん》が権力《けんりょく》を握《にぎ》るきっかけとなった、天下《てんか》分《わ》け目《め》の関ヶ原《せきがはら》」も、高校生《こうこうせい》たちによって戦《たたか》われたのである。

◆高校生《こうこうせい》167万人《まんにん》がやってくる!

史実《しじつ》としての関ヶ原《せきがはら》の戦《たたか》いは、1600年《ねん》9月《がつ》15日《にち》に勃発《ぼっぱつ》した。全国《ぜんこく》の大名《だいみょう》たちが、石田三成《いしだみつなり》率《ひき》いる西軍《せいぐん》と、徳川家康《とくがわいえやす》をリーダーとする東軍《とうぐん》のいずれかにつき、いまの岐阜県関ヶ原町《ぎふけんせきがはらちょう》あたりで激突《げきとつ》。半日《はんにち》で勝敗《しょうはい》は決《けっ》し、これによって徳川家康《とくがわいえやす》は天下統一《てんかとういつ》に大《おお》きく近《ちか》づいた。

『竜馬翔《りょうまか》ける』の高校生《こうこうせい》たちも、これと同《おな》じように西軍《せいぐん》と東軍《とうぐん》に分《わ》かれ、関ヶ原《せきがはら》で大乱闘《だいらんとう》を繰《く》り広《ひろ》げたというのだ。作品中《さくひんちゅう》に、高校生《こうこうせい》たちが大《おお》ゲンカをしているシーンが出《で》てくるのだが、そこに描《えが》かれているのは関ヶ原《せきがはら》を埋《う》め尽《つ》くし、暴《あば》れまくる人《ひと》、人《ひと》、人《ひと》……。

いったいどれだけの高校生《こうこうせい》が参戦《さんせん》したのだろうか? プロレスのバトルロイヤル(6m四方《しほう》のリングで15人前後《にんぜんご》のレスラーが戦《たたか》う)くらいの乱戦《らんせん》と考《かんが》え、戦場《せんじょう》の面積《めんせき》が関ヶ原全体《せきがはらぜんたい》の半分《はんぶん》にあたる4㎢と仮定《かてい》して計算《けいさん》するならば、戦《たたか》いに参加《さんか》した高校生《こうこうせい》は167万人《まんにん》! この戦《たたか》いが行《おこな》われたのは1970年頃《ねんごろ》と思《おも》われるから、当時《とうじ》の男子高校生《だんしこうこうせい》の約《やく》8割《わり》だ。まさに「天下分《てんかわ》け目《め》」の名《な》にふ

さわしい戦《たたか》いである。

これほどの高校生《こうこうせい》が、全国《ぜんこく》津々浦々《つつうらうら》から岐阜県不破郡関ケ《ぎふけんふわぐんせきが》原町《はらちょう》を目指《めざ》す光景《こうけい》を想像《そうぞう》してもらいたい。関ケ原《せきがはら》は東海道新幹線《とうかいどうしんかんせん》の沿線《えんせん》にあり、最寄《もよ》り駅《えき》は米原《まいばら》だから、高校生《こうこうせい》たちも新幹線《しんかんせん》に乗《の》って駆《か》けつけたのだろう。来《く》る列車《れっしゃ》、来《く》る列車《れっしゃ》、殺気立《さっきだ》ったコワい高校生《こうこうせい》で超満員《ちょうまんいん》！　乗《の》っていた一般《いっぱん》の観光客《かんこうきゃく》やビジネスマンは、恐怖《きょうふ》におののいたに違《ちが》いない。

167万人《まんにん》ともなると、新幹線《しんかんせん》で運《はこ》びきれたかどうか、心配《しんぱい》だ。当時《とうじ》の新幹線《しんかんせん》0系《けい》は16両編成《りょうへんせい》の定員《ていいん》が1258人《にん》。他《ほか》の乗客《じょうきゃく》もいるだろうから、1本《ぽん》の新幹《しんかん》線《せん》で移動《いどう》した高校生《こうこうせい》は500人《にん》だったと仮定《かてい》しよう。

2015年《ねん》6月現在《がつげんざい》、米原《まいばら》に停車《ていしゃ》するひかり、こだまは、上《のぼ》りも下《くだ》りも1日《にち》34本《ほん》。70年当時《ねんとうじ》も同《おな》じだったと考《かんが》えれば、関ヶ原《せきがはら》に到着《とうちゃく》する高校生《こうこうせい》は、1日《にち》3万《まん》4千人《せんにん》。167万人《まんにん》がすべて集《あつ》まるまでに49日《にち》かかる！

う〜む。最初《さいしょ》に着《つ》いちゃった高校生《こうこうせい》たちは、その後《ご》49日間何《にちかんなに》をしていたのだろう？　夏休《なつやす》みより長《なが》い期間《きかん》だから、自由研究《じゆうけんきゅう》もいろいろできるし、読書感想文《どくしょかんそうぶん》もいっぱい書《か》けるぞ。

しかも、忘《わす》れてはならないのは、集合《しゅうごう》に49日《にち》かかったということは、撤収《てっしゅう》にも同《おな》じだけの日数《にっすう》がかかるという事実《じじつ》である。もし、最初《さいしょ》に来《き》て最後《さいご》に帰《かえ》った高校生《こうこうせい》がいたとしたら、彼《かれ》は98日間《にちかん》もこの戦《たたか》いに奉仕《ほうし》したことになる。高校《こうこう》では、学校《がっこう》に行《い》かずにいると、上《うえ》の学年《がくねん》に上《あ》がれない「留年《りゅうねん》」という処分《しょぶん》がある。そんなに長《なが》く学校《がっこう》に行《い》かなかったら、留年《りゅうねん》になってしまうのではないかなあ。

◆関ケ原町《せきがはらちょう》の方々《かたがた》は大迷惑《だいめいわく》！

それにしても167万人《まんにん》がひとつの町《まち》に集結《しゅうけつ》するというのは、ただごとではない。現在《げんざい》の関《せき》ケ《が》原町《はらちょう》の人口《じんこう》は７５００人《にん》。劇中《げきちゅう》で天下分《てんかわ》け目《め》の戦《たたか》いが行《おこな》われた70年《ねん》でも1万人《まんにん》ほどである。そこに、人口《じんこう》の１６７倍《ばい》の高校生《こうこうせい》たちが、ケンカをするためにやってきたのだ。

当時《とうじ》はコンビニなどないから、食事《しょくじ》を確保《かくほ》するのも大変《たいへん》だったに違《ちが》いない。１日《にち》３度《ど》の食事《しょくじ》をおにぎり1個《こ》ずつで済《す》ませるとしても、５００万個《まんこ》が必要《ひつよう》だ。これを心優《こころやさ》しい関ケ原町《せきがはらちょう》の人《ひと》たちが提供《ていきょう》したとすると、町民1人《ちょうみんひとり》あたり５００個《こ》を握《にぎ》らなければならない。仕事《しごと》や学校《がっこう》に行《い》っているヒマなどない。

当然《とうぜん》、寝《ね》る場所《ばしょ》にも困《こま》る。関ケ原町《せきがはらちょう》に民家《みんか》が３千軒《ぜんけん》あり、皆《みな》さんが自宅《じたく》の使用《しよう》を認《みと》めてくださったとしても、1軒《けん》あたり５５７人《にん》！　絶対《ぜったい》に入《はい》りきらない！

そのうえ、モノスゴイ乱闘《らんとう》が行《おこな》われたのだから、ケガをした高校生《こうこうせい》もいただろう。１００人《にん》に1人《ひとり》が、病院《びょういん》に担《かつ》ぎ込《こ》まれるほどのケガをしたとしても、1万《まん》６７００人《にん》！　町内《ちょうない》の病院《びょういん》にそれだけのケガ人《にん》を収容《しゅうよう》できるはずもなく、岐阜《ぎふ》、名古屋《なごや》、京都《きょうと》、大阪《おおさか》などの病院《びょういん》に応援《おうえん》を頼《たの》むしかないだろう。もう大変《たいへん》な騒《さわ》ぎだ。

反面《はんめん》、いいこともあっただろう。高校生《こうこうせい》たちも、何《なん》の準備《じゅんび》もせずに関ケ原町《せきがはらちょう》に来《き》たとは思《おも》えない。新幹線《しんかんせん》の本数《ほんすう》などを考《かんが》えれば、長期戦《ちょうきせん》になるのはわかっていたはずだから、着替《きが》えやテントや、最低限《さいていげん》の生活費《せいかつひ》ぐらいは持《も》ってきていたのではないだろうか。飲食費《いんしょくひ》や銭湯代《せんとうだい》などで１６７

万人《まんにん》が1日《にち》に千円《せんえん》ずつ使《つか》うとすれば、彼《かれ》らが関ケ原町《せきがはらちょう》にもたらす経済効果《けいざいこうか》は、1日《にち》あたり16億《おく》7千万円《せんまんえん》！　全部合《ぜんぶあ》わせると、818億円《おくえん》！　これを人口《じんこう》1万人《まんにん》で分《わ》け合《あ》うと、赤《あか》ちゃんからお年《とし》寄《よ》りまで、1人《ひとり》818万円《まんえん》！　関ケ原町《せきがはらちょう》の人《ひと》たちも、迷惑《めいわく》は被《こうむ》ったが大《おお》いに潤《うるお》った……のならいいんだけど。

こういう騒動《そうどう》を経《へ》て、『竜馬翔《りょうまか》ける』の舞台《ぶたい》が整《ととの》ったわけである。徳川学園《とくがわがくえん》は各都道府県《かくとどうふけん》に1校《こう》ずつ、以前《いぜん》から徳川《とくがわ》グループだった学校《がっこう》を置《お》き、他《ほか》の高校《こうこう》を支配《しはい》するという新体制《しんたいせい》を築《きず》いた。この作品《さくひん》が発表《はっぴょう》されたのは86年《ねん》だが、それに近《ちか》い85年《ねん》のデータによれば、このときの高校《こうこう》の総数《そうすう》は5453校《こう》。このうち徳川《とくがわ》グループの高校《こうこう》は都道府県《とどうふけん》の数《かず》と同《おな》じ47校《こう》のはずだから、たったそれだけで、他《ほか》の5406校《こう》を支配《しはい》するわけで、比率《ひりつ》としては1対《たい》115である。うーむ、ガラスのようにもろい支配体制《しはいたいせい》であり、他《ほか》の高校《こうこう》が一斉蜂起《いっせいほうき》すれば、ひとたまりもなく崩壊《ほうかい》するのではあるまいか……。

史実《しじつ》を見《み》れば、現実《げんじつ》の徳川支配体制《とくがわしはいたいせい》は成功《せいこう》し、徳川幕府《とくがわばくふ》は260年《ねん》も続《つづ》くことになる。だが、同《おな》じことを高校生《こうこうせい》がやろうとすると、とんでもなく面白《おもしろ》いことになってしまうのだ。そういうことを発想《はっそう》された『竜馬翔《りょうまか》ける』の作者《さくしゃ》・司敬先生《つかさけいせんせい》を、筆者《ひっしゃ》は心《こころ》から尊敬《そんけい》する。

とっても気《き》になるアニメの疑問《ぎもん》

巨《きょ》神《しん》兵《へい》のビームVSラピュタの雷《いかずち》。戦《たたか》ったらどっちが勝《か》ちますか？

美《うつく》しい風景《ふうけい》をバックに、透明感《とうめいかん》のあるメロディが流《なが》れ、誰《だれ》もがふっと優《やさ》しい気持《きも》ちを取《と》り戻《もど》す……。宮崎《みやざき》アニメは、本当《ほんとう》にすばらしいですな。

でも同時《どうじ》に、壮絶《そうぜつ》な破壊兵器《はかいへいき》が登場《とうじょう》したりするのも、宮崎《みやざき》アニメなのだ。特《とく》に『風《かぜ》の谷《たに》のナウシカ』の巨神兵《きょしんへい》のビームと『天空《てんくう》の城《しろ》ラピュタ』のラピュタの雷《いかずち》は、その威力《いりょく》がすさまじい。

巨神兵《きょしんへい》は、かつて「火《ひ》の七日間《なのかかん》」で世界《せかい》を焼《や》き払《はら》ったと伝《つた》えられる巨大《きょだい》な人型兵器《ひとがたへいき》だ。口《くち》からビームを吐《は》いて地平線《ちへいせん》を薙《な》ぎ払《はら》い、この世《よ》の終《お》わりのような大爆発《だいばくはつ》を起《お》こした。

ラピュタの雷《いかずち》は、空《そら》に浮《う》かぶ城《しろ》・ラピュタの底面《ていめん》から発射《はっしゃ》される光《ひかり》の砲弾《ほうだん》。高空《こうくう》から海面《かいめん》に放《はな》たれたとき、下界《げかい》で火球《かきゅう》が広《ひろ》がり、爆風《ばくふう》と轟音《ごうおん》は天空《てんくう》をも揺《ゆ》るがした。ラピュタ王家《おうけ》の末裔《まつえい》・ムスカによれば、『旧約聖書《きゅうやくせいしょ》』でソドムとゴモラの町《まち》を滅《ほろ》ぼした「天《てん》の火《ひ》」も、古代《こだい》インドの叙事詩《じょじし》『ラーマーヤナ』で語《かた》られる「インドラの矢《や》」も、このラピュタの雷《いかずち》だという。

ともに、背筋《せすじ》が寒《さむ》くなる破壊兵器《はかいへいき》だが、その威力《いりょく》はどちらが上《うえ》なのだろうか？

◆う〜む、両者《りょうしゃ》すごい爆発《ばくはつ》だ！

巨神兵《きょしんへい》のビームと、ラピュタの雷《いかずち》は、どちらも巨大《きょだい》な火《ひ》の玉《たま》を発生《はっせい》させた。爆発《ばくはつ》で発生《はっせい》する火《ひ》の玉《たま》を「火球《かきゅう》」といい、その広《ひろ》がり方《かた》を分析《ぶんせき》すれば、爆発《ばくはつ》の規模《きぼ》を推測《すいそく》することができる。

巨神兵《きょしんへい》のビームは、王蟲《オーム》の群《む》れに向《む》けて発射《はっしゃ》され、地平線上《ちへいせんじょう》に多数《たすう》の火球《かきゅう》を発生《はっせい》させた。その火球《かきゅう》の半径《はんけい》は、目測《もくそく》で1kmほど。また、アニメの画面《がめん》を観察《かんさつ》すると、火球《かきゅう》が半径《はんけい》1kmまで膨張《ぼうちょう》するのに0・1秒《びょう》を要《よう》している。ここから火球《かきゅう》1個《こ》あたりのエネルギーを算出《さんしゅつ》すると、ビキニ水爆《すいばく》の0・9発分《はつぶん》となる。

また、このビームは60度《ど》の角度《かくど》で放射状《ほうしゃじょう》に発射《はっしゃ》された。この掃射角度《そうしゃかくど》と火球《かきゅう》の間隔《かんかく》から、このとき16個《こ》の火球《かきゅう》が発生《はっせい》したことがわかる。すると、ビームの総《そう》エネルギーはなんと、ビキニ水爆《すいばく》15発分《はっぷん》！

かつてソ連《れん》(現在《げんざい》のロシア)が開発《かいはつ》した史上最大《しじょうさいだい》の水爆《すいばく》「ツァーリ・ボンバ」でさえ、ビキニ水《すい》爆《ばく》3発分《ぱつぶん》だ。巨神兵《きょしんへい》のビームは、その5倍《ばい》のエネルギーを放《はな》ったのであり、いや、これはもう身《み》の毛《け》もよだつ破壊兵器《はかいへいき》なのだなあ。

一方《いっぽう》、ラピュタの雷《いかずち》で爆発《ばくはつ》した火球《かきゅう》は、およそ1秒《びょう》でラピュタが浮《う》かぶ高《たか》さぐらいまで膨張《ぼうちょう》した。ラピュタは積乱雲《せきらんうん》のなかに浮《う》かんでいると考《かんが》えられ、積乱雲《せきらんうん》は地上《ちじょう》2kmから平均《へいきん》12kmくらいにまで伸《の》びる縦長《たてなが》の雲《くも》だから、ここではラピュタがその中間《ちゅうかん》の上空《じょうくう》7kmに浮《う》かぶと仮定《かてい》しよう。

すると、火球《かきゅう》の半径《はんけい》も7kmということになる。その場合《ばあい》、ラピュタの雷《いかずち》のエネルギーは、ビキニ水爆《すいばく》28発分《ぱつぶん》。どっひょ〜!

巨神兵《きょしんへい》のビームも、ラピュタの雷《いかずち》も、とんでもない破壊兵器《はかいへいき》ですぞ。

◆巨神兵《きょしんへい》たくさんvs天空《てんくう》の城《しろ》1個《こ》

では、もしも巨神兵《きょしんへい》とラピュタが戦《たたか》ったら、いったいどちらが勝《か》つのだろうか。

すでに見《み》たとおり、破壊兵器《はかいへいき》としての威力《いりょく》では、ラピュタの雷《いかずち》は巨神兵《きょしんへい》のビームの2倍近《ばいちか》い。高空《こうくう》からの攻撃《こうげき》も可能《かのう》だし、1対《たい》1で戦《たたか》えば、ラピュタが勝《か》つ可能性《かのうせい》が高《たか》いといえるだろう。

だが『ナウシカ』で描《えが》かれた火《ひ》の七日間《なのかかん》のシーンでは、何体《なんたい》もの巨神兵《きょしんへい》がユラユラと歩《ある》いていた。巨神兵《きょしんへい》は何体《なんたい》もいるらしい。だとしたら、勝敗《しょうはい》は巨神兵《きょしんへい》の数《かず》にもよるのではないか。

そもそも、巨神兵《きょしんへい》はどれほどいるのだろう？　これを知《し》るには「全世界《ぜんせかい》を7日間《かかん》で火《ひ》の海《うみ》にするのに、この巨神兵《きょしんへい》が何体必要《なんたいひつよう》か」を考《かんが》えればいい。

先《さき》ほど求《もと》めた威力《いりょく》があれば、巨神兵《きょしんへい》のビームは、たった1発《ぱつ》で９００㎢＝東京《とうきょう》23区《く》の１・５倍《ばい》の面積《めんせき》を焼《や》き尽《つ》くすことが可能《かのう》だ。また巨神兵《きょしんへい》の身長《しんちょう》は１００ｍほどと思《おも》われ、この大《おお》きさの巨《きょ》人《じん》が人間《にんげん》と同《おな》じ動作《どうさ》で歩《ある》くと、時速《じそく》30㎞ほどで進《すす》めることになる。ここから計算《けいさん》すると、1体《たい》の巨神兵《きょしんへい》は、7日間《かかん》で26万《まん》㎢を火《ひ》の海《うみ》にできるはずだ。

これは本州《ほんしゅう》と九州《きゅうしゅう》を合《あ》わせたぐらいの面積《めんせき》で、世界《せかい》の陸地面積《りくちめんせき》の５９０分《ぶん》の1にあたる。ということは、7日間《かかん》で世界《せかい》を火《ひ》の海《うみ》にするには、巨神兵《きょしんへい》は５９０体《たい》いればよい！

いや、つい元気《げんき》よく「いればよい！」などと書《か》いてしまったが、あんなのが５９０体《たい》もいたら、めちゃくちゃ怖《こわ》いんですけど……。しかも、巨神兵《きょしんへい》５９０体《たい》vsラピュタ1基《き》という兵力差《へいりょくさ》では、もうラピュタに勝《か》ち目《め》は全然《ぜんぜん》ないのでは？

火力《かりょく》を比較《ひかく》すれば、巨神兵軍《きょしんへいぐん》の圧勝《あっしょう》だ。もし巨神兵《きょしんへい》５９０体《たい》が地上《ちじょう》からラピュタを包囲《ほうい》し、ビームの集中砲火《しゅうちゅうほうか》を浴《あ》びせれば、旧約聖書《きゅうやくせいしょ》の時代《じだい》から空《そら》を制圧《せいあつ》してきたラピュタも、その歴史《れきし》に幕《まく》を下《お》ろすだろう。

だが、それは巨神兵《きょしんへい》がラピュタの近《ちか》くに集結《しゅうけつ》していたら、の話《はなし》。この590体《たい》という兵力《へいりょく》は、巨神兵《きょしんへい》が世界中《せかいじゅう》に散開《さんかい》し、効率《こうりつ》よく「火《ひ》の七日間《なのかかん》」を遂行《すいこう》したら……という仮定《かてい》から出《で》てきた数字《すうじ》だから、彼《かれ》らはバラバラな場所《ばしょ》でビームを吐《は》き続《つづ》けているはずなのだ。

では、人口密度《じんこうみつど》ならぬ「巨神《きょしん》兵密度《へいみつど》」はどれくらいなのか？　計算《けいさん》すると、巨神兵同士《きょしんへいどうし》の間隔《かんかく》は1340㎞である。1体《たい》の巨《きょ》神兵《しんへい》が函館《はこだて》にいるとしたら、すぐ隣《となり》の巨神兵《きょしんへい》は熊本《くまもと》にいる……

というくらい離れている。

お。こうなると話《はなし》は違《ちが》ってくるぞ。これだけ離《はな》れていたら、ラピュタが函館《はこだて》の上空《じょうくう》7kmにいるときは、熊本《くまもと》の巨神兵《きょしんへい》からは、ラピュタは地平線《ちへいせん》の向《む》こうに隠《かく》れてしまい、どんなに目《め》がよくても、決《けっ》して見《み》えない。つまり、ラピュタと巨神兵《きょしんへい》の戦《たたか》いは、常《つね》に1対《たい》1！　だったらラピュタは、空《そら》から巨神兵《きょしんへい》を1体《たい》ずつ狙《ねら》い撃《う》ちしていけばいいことになる。ラピュタの雷《いかずち》は、1発《ぱつ》で半径《はんけい》41kmを焼《や》き払《はら》うから、多少狙《たしょうねら》いが甘《あま》くても大丈夫《だいじょうぶ》だ！

一方《いっぽう》、攻撃《こうげき》されている巨神兵《きょしんへい》が別《べつ》の巨神兵《きょしんへい》に助《たす》けを求《もと》めても、時速《じそく》30kmの歩行速度《ほこうそくど》では、１３４０km も離《はな》れた仲間《なかま》のもとへ駆《か》けつけるまで33時間《じかん》もかかる。とても間《ま》に合《あ》わない！

つまり、巨神兵《きょしんへい》が「火《ひ》の七日間《なのかかん》」を遂行《すいこう》している最中《さいちゅう》であれば、ラピュタは上空《じょうくう》から1体《たい》ずつ攻撃《こうげき》していくことで、全部《ぜんぶ》の巨神兵《きょしんへい》を倒《たお》せる……という計算《けいさん》になるのだ。

この結果《けっか》には、筆者《ひっしゃ》もちょっと驚《おどろ》きました。すごいな、天空《てんくう》の城《しろ》。

空想科学世界《くうそうかがくせかい》の人々《ひとびと》は、なぜニセモノのヒーローにだまされるのですか？

ヒーロー番組《ばんぐみ》を見《み》ていると、しばしばヒーローのニセモノが現《あらわ》れる。そいつはヒーローになりすまして悪事《あくじ》を働《はたら》き、本物《ほんもの》の信用《しんよう》と名誉《めいよ》をおとしめようとする。

たとえば、お笑《わら》い芸人《げいにん》のニセモノが各地《かくち》の舞台《ぶたい》に登場《とうじょう》し、まったく面白《おもしろ》くないネタをやり続《つづ》けたら、「あの芸人《げいにん》はつまらなくなった！」と言《い》われて、本人《ほんにん》の評判《ひょうばん》やイメージはガタ落《お》ちになるだろう。成功《せいこう》すれば、ニセモノ作戦《さくせん》は意外《いがい》と効果的《こうかてき》なのだ。

しかし、バレないのだろうか？　お笑《わら》い芸人《げいにん》にせよ、正義《せいぎ》のヒーローにせよ、世間《せけん》から注目《ちゅうもく》されている。だからこそ評判《ひょうばん》を落《お》とす意味《いみ》もあるわけだが、注目《ちゅうもく》されているだけに、本物《ほんもの》の姿《すがた》はよ

く知《し》られていて、ニセモノが出《で》てきたら、たぶんすぐにバレる。普通《ふつう》だったら。なのに、番組《ばんぐみ》の中《なか》の人々《ひとびと》はいつもコロリとだまされる。なぜ誰《だれ》も気《き》づかないのか、子《こ》どもの頃《ころ》から不思議《ふしぎ》で仕方《しかた》がない。本稿《ほんこう》では、ニセモノ問題《もんだい》を真剣《しんけん》に考《かんが》えてみよう。

◆見《み》るからにニセモノだ！

筆者《ひっしゃ》にとって印象《いんしょう》の強《つよ》いニセモノヒーローといえば、にせウルトラマンである。

ザラブ星人《せいじん》が化《ば》けたコイツは、本物《ほんもの》より目《め》がググッと吊《つ》り上《あ》がっていた。つま先《さき》もアラジンが履《は》いていた靴《くつ》みたいに尖《とが》って反《そ》り返《かえ》っていた。もう一目《ひとめ》でニセモノとわかるニセモノ。ザラブ星《せい》人《じん》も、ずいぶんと不細工《ぶさいく》なコピーをしたものである。

ところが！　地球人《ちきゅうじん》はあっさりだまされてしまったのだ。にせウルトラマンが突然現《とつぜんあらわ》れ、街《まち》を破壊《はかい》し始《はじ》めると、それがウルトラマンだと信《しん》じて疑《うたが》わない。地球防衛軍《ちきゅうぼうえいぐん》の戦車隊《せんしゃたい》など、迷《まよ》うことなく猛攻撃《もうこうげき》していた。実際《じっさい》にはザラブ星人《せいじん》を攻撃《こうげき》しているわけで、結果的《けっかてき》には正《ただ》しいのだが、そんなことでいいのか、地球《ちきゅう》の人々《ひとびと》!?

にせウルトラマンの登場《とうじょう》は『ウルトラマン』の第《だい》18話《わ》だから、地球人《ちきゅうじん》はそれまでに、もう17回《かい》もウルトラマンのお世話《せわ》になっているのである。突然《とつぜん》ウルトラマンが暴《あば》れ始《はじ》めたら「おかしい。

何《なに》か理由《りゆう》があるのでは？」くらい思《おも》いなさいよ。

そもそも、吊《つ》り目《め》とトンがったつま先《さき》という、明《あき》らかな違《ちが》いに気《き》づかないのはなぜだろう？

にせウルトラマンの身長《しんちょう》は、本物《ほんもの》と同《おな》じ40m。人間《にんげん》がこれを、地上《ちじょう》から観察《かんさつ》したとしよう。たとえば40m離《はな》れた地点《ちてん》から見上《みあ》げた場合《ばあい》、にせウルトラマンの頭頂部《とうちょうぶ》、にせウルトラマンの足下《あしもと》、そして観察者《かんさつしゃ》の3点《てん》を結《むす》ぶと直角二等辺三角形《ちょっかくにとうへんさんかっけい》になるから、観察者《かんさつしゃ》が見上《みあ》げる視線《しせん》の角度《かくど》は45度《ど》となる。図《ず》を描《か》いて確《たし》かめてみると、ややっ、顔《かお》の下半分《したはんぶん》しか見《み》えない！　これでは、「吊《つ》り目《め》」という目《め》の特徴《とくちょう》に気《き》づくのは難《むずか》しいかも。

しかも40m離《はな》れていれば、観察者《かんさつしゃ》とにせウルトラマンとのあいだに、建物《たてもの》や自動車《じどうしゃ》などさまざまな物体《ぶったい》が存在《そんざい》しているだろう。それらで視線《しせん》を遮《さえぎ》られるから、つま先《さき》の形状《けいじょう》を見分《みわ》けるのも容易《ようい》ではないかもしれない。

そもそも「アイツはニセモノだ！」と見破《みやぶ》るためには、本物《ほんもの》をよく知《し》っておく必要《ひつよう》がある。前《まえ》に述《の》べたように、ウルトラマンの登場《とうじょう》はそれ以前《いぜん》に17回《かい》。だが、ウルトラマンはじっとしているわけではない。現《あらわ》れるや否《いな》や、怪獣《かいじゅう》と激《はげ》しい死闘《しとう》を演《えん》じ、3分以内《ぷんいない》に慌《あわ》ただしく去《さ》っていってしまうのだ。それまでの登場時間《とうじょうじかん》の合計《ごうけい》は、最大《さいだい》でも51分《ぷん》。そのうえ、毎回《まいかい》どこに現《あらわ》れるかわからないのだから、現代《げんだい》のように人々《ひとびと》がスマホを持《も》ち歩《ある》いていなかった時代《じだい》には、その姿《すがた》を撮影《さつえい》することも難《むずか》しかっただろう。
つまり、巨大《きょだい》で、いつも大暴《おおあば》れしていて、持久力《じきゅうりょく》がないゆえに、ウルトラマンの姿《すがた》は劇中《げきちゅう》の地《ち》球人《きゅうじん》に正《ただ》しく認識《にんしき》されていない可能性《かのうせい》が高《たか》いのだ。あららら。にせウルトラマンの雑《ざつ》なコピーを問題視《もんだいし》するつもりが、あの程度《ていど》で充分《じゅうぶん》にだませるという結論《けつろん》になってしまった。意外《いがい》！

◆にせスカイライダーの悪事三昧《あくじざんまい》！

冒頭《ぼうとう》で述《の》べたとおり、本物《ほんもの》の評判《ひょうばん》やイメージを下落《げらく》させることこそが、ニセモノ本来《ほんらい》の役目《やくめ》だといえよう。この点《てん》を最《もっと》もよく理解《りかい》し、ニセモノ作戦《さくせん》を正《ただ》しく実行《じっこう》したのは、1979年《ねん》の『仮《か》面《めん》ライダー』(通称《つうしょう》「スカイライダー」)に登場《とうじょう》した、にせスカイライダーであろう。彼《かれ》は数々《かずかず》の悪《あく》事《じ》を働《はたら》いて、スカイライダーの評判《ひょうばん》を落《お》とすことに成功《せいこう》した。

彼《かれ》が手《て》を染《そ》めたのは、次《つぎ》のような悪行《あくぎょう》であった。

①公園《こうえん》に現《あらわ》れ、「仮面《かめん》ライダーだ！」と喜《よろこ》んで集《あつ》まってきた子《こ》どもたちを突《つ》き飛《と》ばす
②子《こ》どもが砂場《すなば》で作《つく》ったトンネルなどを踏《ふ》みつぶす
③抗議《こうぎ》した子《こ》どもを突《つ》き倒《たお》し、踏《ふ》みつける
④子《こ》どもが水鉄砲《みずでっぽう》で水《みず》をかけると、水鉄砲《みずでっぽう》を奪《うば》って壊《こわ》す

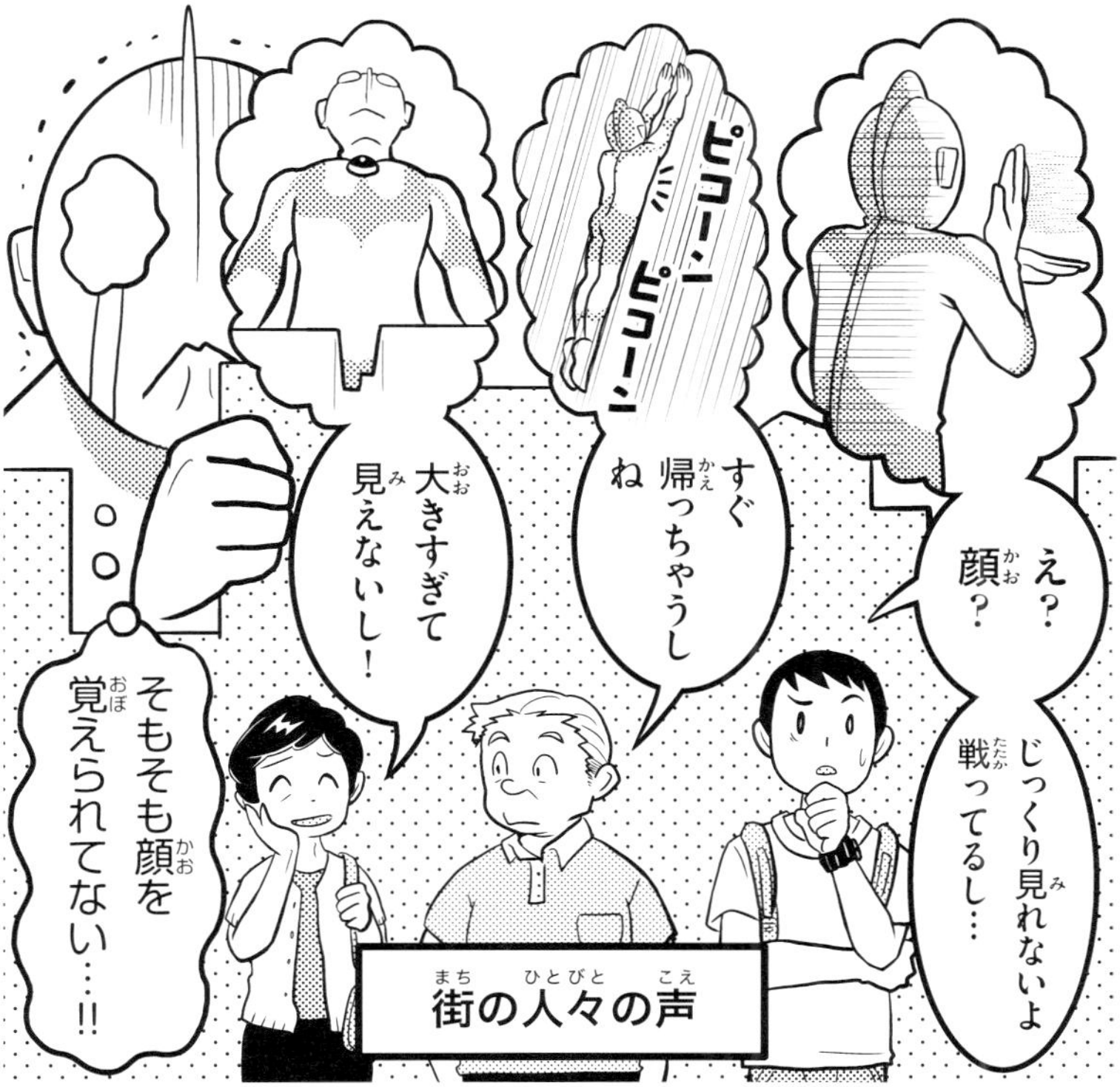

⑤スーパーに現《あらわ》れ、子《こ》どもに無理《むり》やりアイスクリームを食《た》べさせる

⑥「やめてください！」と言《い》ってきた女性店員《じょせいてんいん》の口《くち》にも、アイスを突《つ》っ込《こ》む

アイス事件《じけん》のときのセリフは、悪人《あくにん》そのものだった。「つべこべ言《い》うなよ。大好《だいす》きなアイスクリームだろ。ドンドンドンドン食《く》えよ、そいでおなか壊《こわ》しちゃえよ。ほらドンドンドンドン食《く》うんだよ」。うーん、実《じつ》に悪《わる》いヤツだが、作戦《さくせん》がセコすぎるような気《き》も……。

にせスカイライダーの悪事《あくじ》は、これらだけに留《とど》まらなかった。
⑦スカイライダーに変身《へんしん》する筑波洋《つくばひろし》をバイクで追《お》い回《まわ》す
⑧かばおうとした子《こ》どもをバイクではねる
あっ、ひどい！　ついに一線《いっせん》を越《こ》えたにせスカイライダーは、アジトに戻《もど》り、さらなる抱負《ほうふ》を述《の》べる。「もっともっと悪《わる》いことをして、仮面《かめん》ライダーの信用《しんよう》をメチャメチャガタガタにしてやります！」。それ以上《いじょう》、どんな悪事《あくじ》を働《はたら》こうというのか!?　その後《ご》、彼《かれ》がやった行為《こうい》は……。
⑨子《こ》どもがロープに吊《つ》ったタイヤで遊《あそ》んでいると、ナイフでロープを切《き》る
⑩子《こ》どもの髪《かみ》を引《ひ》っ張《ぱ》って「痛《いた》いか？　そんなに痛《いた》いか？」
⑪子《こ》どもが遊《あそ》んでいるプラモデルを壊《こわ》す
悪事《あくじ》のレベルが元《もと》に戻《もど》ってるじゃん！　「もっともっと悪《わる》いこと」というのは、内容《ないよう》の極悪《ごくあく》さではなく、量《りょう》の多《おお》さのことだったようだ。

だが、この調子《ちょうし》で悪事《あくじ》を重《かさ》ねられたら、本物《ほんもの》のスカイライダーは信用《しんよう》ガタ落《お》ちで大《だい》ピンチ！

◆正《ただ》しいニセモノ作戦《さくせん》とは？

ところが、にせスカイライダー作戦《さくせん》は失敗《しっぱい》に終《お》わった。ニセモノが本物《ほんもの》と戦《たたか》って、負《ま》けてしま

ったからだ。

なぜ戦《たたか》うかなあ？　本物《ほんもの》との対決《たいけつ》は他《ほか》の怪人《かいじん》などに任《まか》せて、キミは黙々《もくもく》と悪《わる》いことをやり続《つづ》ければ、作戦《さくせん》は成功《せいこう》したのではないか。

この点《てん》は、最初《さいしょ》に紹介《しょうかい》したにせウルトラマンなど、他《ほか》のニセモノも同様《どうよう》だ。必《かなら》ず本物《ほんもの》と戦《たたか》い、負《ま》けて最期《さいご》を遂《と》げる。彼《かれ》らは、ニセモノのニセモノたる意義《いぎ》がわかっていない。

筆者《ひっしゃ》が思《おも》うに、ニセモノが威力《いりょく》を発揮《はっき》するのは、次《つぎ》の二《ふた》つの場面《ばめん》である。一《ひと》つは、人々《ひとびと》がニセモノを完全《かんぜん》に本物《ほんもの》だと思《おも》い込《こ》み、ニセモノが存在《そんざい》するとは夢《ゆめ》にも思《おも》わないとき。もう一《ひと》つが、ニセモノがいると知《し》られても、それが本物《ほんもの》と区別《くべつ》がつかないときだ。

これらから導《みちび》き出《だ》される結論《けつろん》はただひとつ。ニセモノは、本物《ほんもの》と決《けっ》して顔《かお》を合《あ》わせてはならない。最初《さいしょ》に紹介《しょうかい》したザラブ星人《せいじん》は、ハヤタ隊員《たいいん》を監禁《かんきん》したうえで、にせウルトラマンに化《ば》けていて、ここまでは作戦《さくせん》としてうまくいっていたのだ。問題《もんだい》はそのあと。この宇宙人《うちゅうじん》も、ウルトラマンと戦《たたか》ってしまった。だから、そうではなくて、いざ本物《ほんもの》が現《あらわ》れたら、ニセモノはささっと身《み》を隠《かく》して、次《つぎ》のチャンスを待《ま》つべきなのである。

あ、いかん、悪《あく》の人々《ひとびと》に、ニセモノ作戦《さくせん》の正《ただ》しいやり方《かた》を伝授《でんじゅ》してしまった。本書《ほんしょ》を読《よ》んで、にせヒーローが増《ふ》えたりしないことを心《こころ》から願《ねが》います。

本書は『ジュニア空想科学読本⑤』(角川つばさ文庫／二〇一五年七月刊行)を加筆・修正してかき下ろしを加え、単行本化したものです。

また、本書では、計算結果を必要に応じて四捨五入して表示しています。したがって、読者の皆さんが、本文に示された数値と方法で計算しても、まったく同じ結果にはならない場合があります。間違いではありませんので、ご了承ください。

『ジュニ空《くう》』読者《どくしゃ》のための

やってみよう！空想《くうそう》科学《かがく》のプチ実験《じっけん》！

マンガやアニメや特撮番組《とくさつばんぐみ》などについて、いろいろな疑問《ぎもん》を持《も》つのは面白《おもしろ》い。学校《がっこう》で習《なら》ったことを活《い》かして、計算《けいさん》してみると、さらに楽《たの》しい。

もう一つ、実験《じっけん》をしてみるのもオススメだ。実験《じっけん》といっても、本格的《ほんかくてき》な実験設備《じっけんせつび》や長《なが》い時間《じかん》がかかるものに挑戦《ちょうせん》する必要《ひつよう》はない。アイデアと工夫次第《くふうしだい》では、設《せつ》備《び》も時間《じかん》も少《すく》なくて済《す》む実験《じっけん》がいろいろできる。

ここでは、僕《ぼく》がオススメする空想科学《くうそうかがく》のプチ実験《じっけん》をいくつか紹介《しょうかい》しよう。ぜひ自分《じぶん》でやってみてほしい。

実験《じっけん》①

「お前《まえ》はすでに死《し》んでいる」の過冷却《かれいきゃく》実験《じっけん》

『ジュニ空《くう》③』で、格闘技《かくとうぎ》マンガ『北斗《ほくと》の拳《けん》』の有名《ゆうめい》なセリフ「お前《まえ》はすでに死《し》んでいる」を検証《けんしょう》した。まだ生《い》きている相手《あいて》に「もう死《し》んでる」と言《い》うのは変《へん》だよね。でも、自然界《しぜんかい》にはそれとよく似《に》た「過冷却《かれいきゃく》」という現象《げんしょう》がある。とても面白《おもしろ》い現象《げんしょう》だから、ぜひ実験《じっけん》してみよう。

準備《じゅんび》するもの

氷《こおり》１kg／食塩《しょくえん》３５０ｇ／ボウル／ビニール手袋《てぶくろ》２組《くみ》／大型のビーカー（２Ｌ入《い》りペットボトルを半分《はんぶん》に切《き》ったものでもよい）／試験管《しけんかん》３〜５本《ほん》／試験管立《しけんかんた》て／割《わ》り箸《ばし》／精製水《せいせいすい》（薬局《やっきょく》で買《か》える）／温度計《おんどけい》（氷点下《ひょうてんか》が計《はか》れるもの）

実験《じっけん》の準備《じゅんび》

ボウルに氷《こおり》1kgと食塩《しょくえん》350gを入《い》れ、ビニール手袋《てぶくろ》を二重《にじゅう》にはめた手《て》で、よくかき混《ま》ぜる。こうすると、あいだに空気《くうき》が入《はい》るので冷《つめ》たくない。

実験《じっけん》にかかる時間《じかん》

この実験《じっけん》は、材料《ざいりょう》や道具《どうぐ》がそろえば、1時間《じかん》でできる。でも「あたたたー」などと急《いそ》いでやってはいけない。

実験《じっけん》の進《すす》め方《かた》

❶ビーカーに氷《こおり》を縁《ふち》より高《たか》く盛《も》り上《あ》げる。ボウルに残《のこ》った塩《しお》を手《て》ですくって上《うえ》に載《の》せ、たまった塩水《しおみず》も入《い》れる。そのあとで、縁《ふち》から1cmほど下《した》まで水《みず》を入《い》れる。

❷ビーカーが霜《しも》で覆《おお》われるころには、氷塩水《こおりしおみず》はマイナス10℃ぐらいになっている。温度計《おんどけい》で確《たし》かめてみよう。

❸精製水《せいせいすい》を試験管《しけんかん》に4分《ぶん》の1ぐらい入《い》れて、割《わ》り箸《ばし》で氷《こおり》をつついて試験管《しけんかん》の通《とお》り道《みち》を作《つく》り、氷塩水《こおりしおみず》に差《さ》し込《こ》む。

❹5分《ふん》から10分後《ぷんご》、試験管《しけんかん》を取《と》り出《だ》して、別《べつ》のきれいな割《わ》り箸《ばし》でかき混《ま》ぜると、水《みず》はサーッと凍《こお》る！

❺別《べつ》の試験管《しけんかん》を取《と》り出《だ》して、親指《おやゆび》でふたをして強《つよ》く振《ふ》ると、やはりサーッと凍《こお》る！

うまく凍《こお》らないとしたら、試験管《しけんかん》を取《と》り出《だ》すのが早《はや》すぎるのが原因《げんいん》なので、試験管《しけんかん》をビーカーに戻《もど》して再《さい》チャレンジしよう。かといって、取《と》り出《だ》すのが遅《おそ》いと、ビーカーのなかで水《みず》は凍《こお》りついてしまう。何度《なんど》も挑戦《ちょうせん》して、絶妙《ぜつみょう》なタイミングを探《さぐ》り出《だ》そう。慣《な》れれば、かなりの確《かく》率《りつ》で成功《せいこう》できるようになるよ。

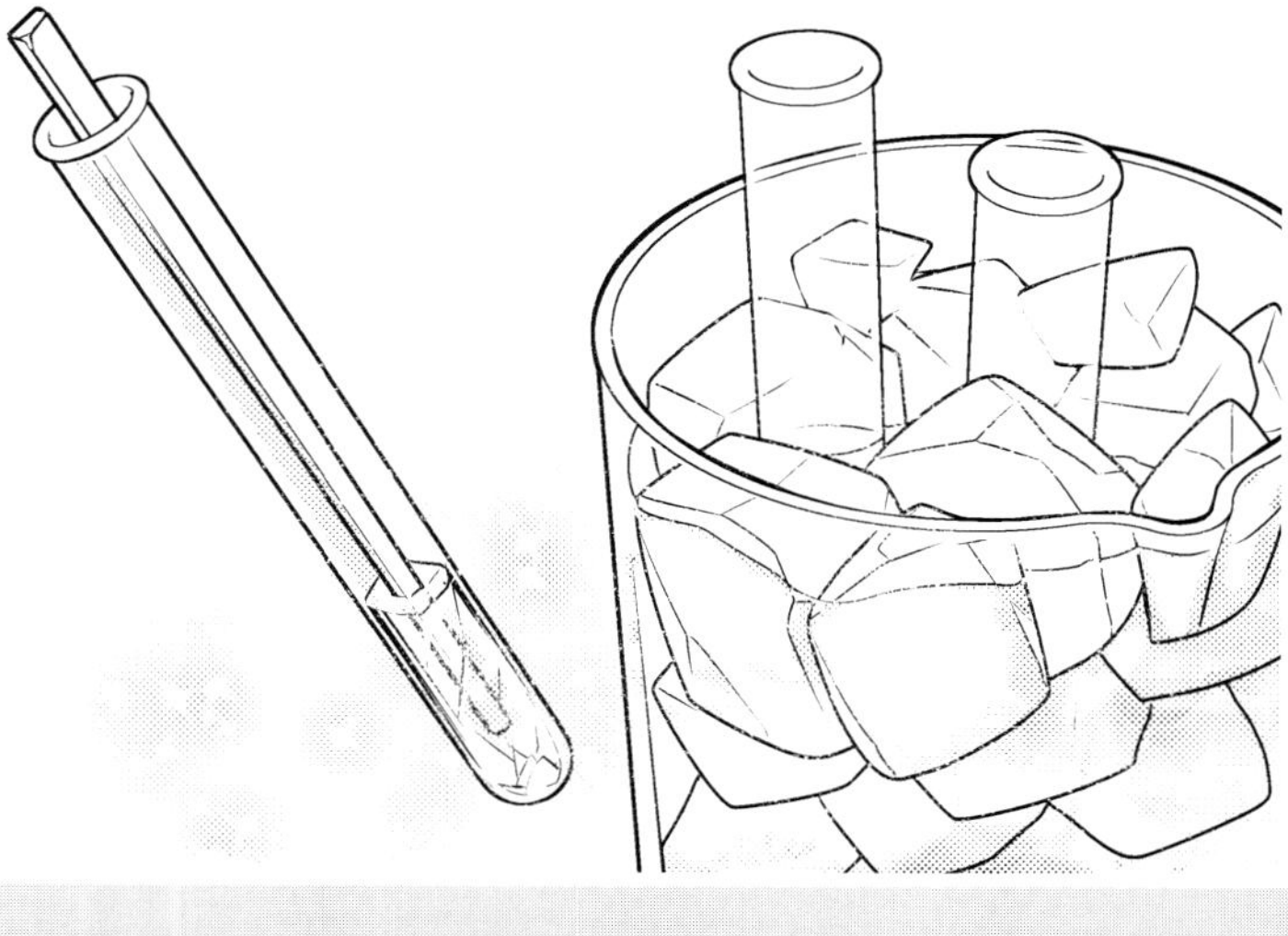

実験《じっけん》②

悪魔風脚《ディアブルジャンプ》を電池《でんち》で実現《じつげん》する！

『ワンピース』のサンジは、床《ゆか》に足《あし》をこすりつけながら激《はげ》しく回転《かいてん》して、足《あし》を真《ま》っ赤《か》に赤熱《せきねつ》させて敵《てき》を蹴《け》る。ご存《ぞん》じ悪魔風脚《ディアブルジャンプ》だ。このように物体《ぶったい》は温度《おんど》が上《あ》がると、オレンジ色《いろ》に輝《かがや》く。シャーペンの芯《しん》と電池《でんち》で実験《じっけん》しよう。

準備《じゅんび》するもの

単一乾電池《たんいちかんでんち》1本《ぽん》／単二乾電池《たんにかんでんち》6〜8本《ほん》／シャープペンシルの芯《しん》／クリップ4本《ほん》／ラジオペンチ／ガムテープ／電話帳《でんわちょう》／みのむしクリップ付《つ》き導線《どうせん》2本《ほん》

実験《じっけん》の準備《じゅんび》

❶クリップの外側《そとがわ》のカーブをラジオペンチでまっすぐに

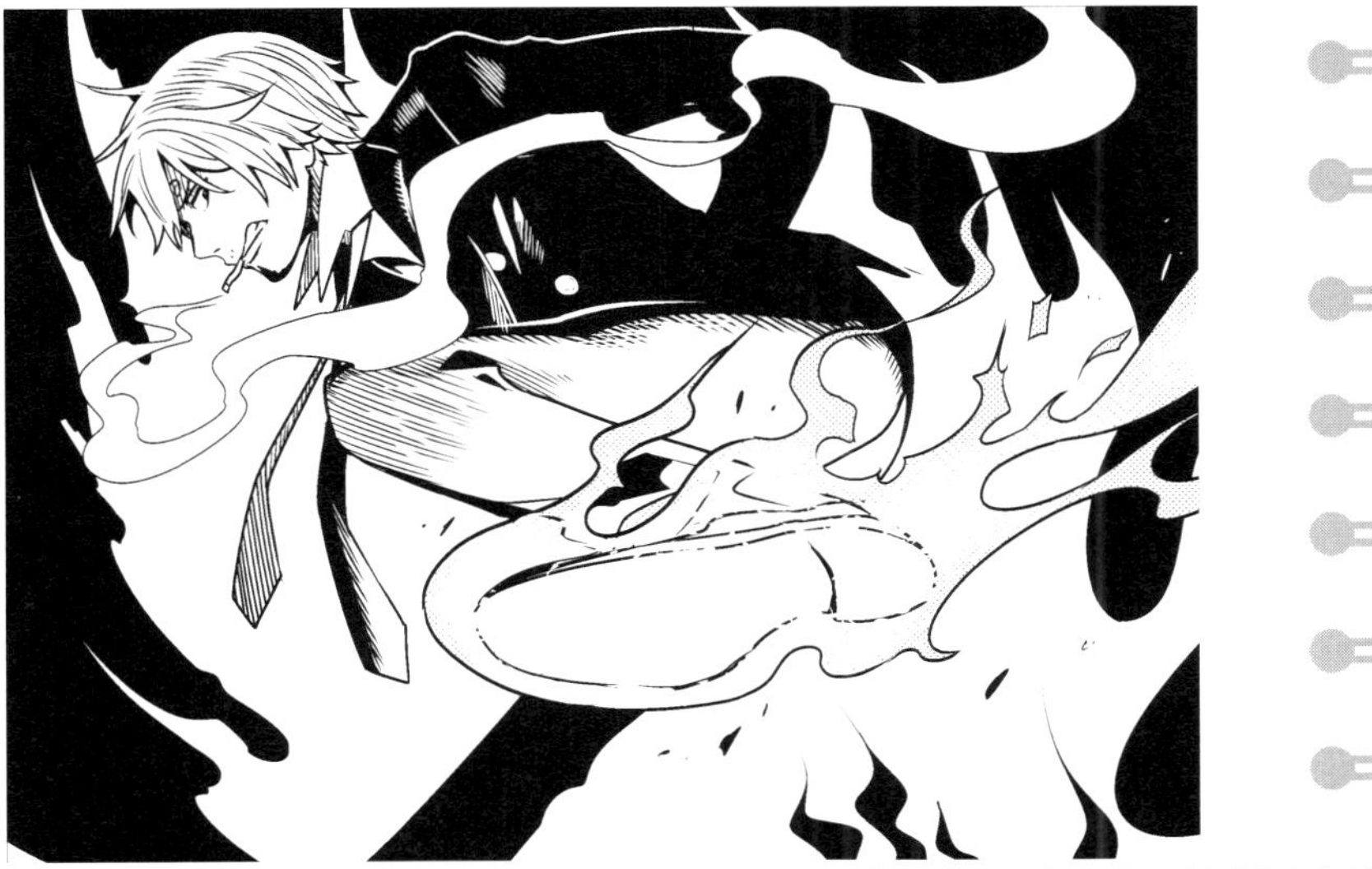

伸《の》ばして「6」の形《かたち》にする。これを4本《ほん》。
❷そのうち2本《ほん》の「まっすぐなほう」を、細《ほそ》く裂《さ》いたガムテープで、単一乾電池《たんいちかんでんち》に向《む》かい合《あ》わせに貼《は》りつける。曲《ま》がった部分《ぶぶん》がすべて乾電池《かんでんち》の上《うえ》に来《く》るように【図《ず》1】。
❸クリップの曲《ま》がった部分《ぶぶん》に、下《した》からシャーペンの芯《しん》をはさみ込《こ》んで、「H」の形《かたち》にする【図《ず》2】。
❹残《のこ》る2つのクリップの1本《ぽん》は、「曲《ま》がったほう」をガムテープで単二乾電池《たんにかんでんち》の＋極《プラスきょく》に貼《は》りつける。もう1本《ぽん》は別《べつ》の単二乾電池《たんにかんでんち》の－極《マイナスきょく》に。【図《ず》3】。
❺電話帳《でんわちょう》を真《ま》ん中《なか》から開《ひら》き、片側《かたがわ》のページを曲《ま》げて敷《し》き込《こ》む【図《ず》4】。

実験《じっけん》にかかる時間《じかん》

この実験《じっけん》も、材料《ざいりょう》や道具《どうぐ》がそろえば1時間《じかん》でできる。
さあ、モレがないように気《き》をつけて、材料《ざいりょう》を集《あつ》めよう。

【図1】

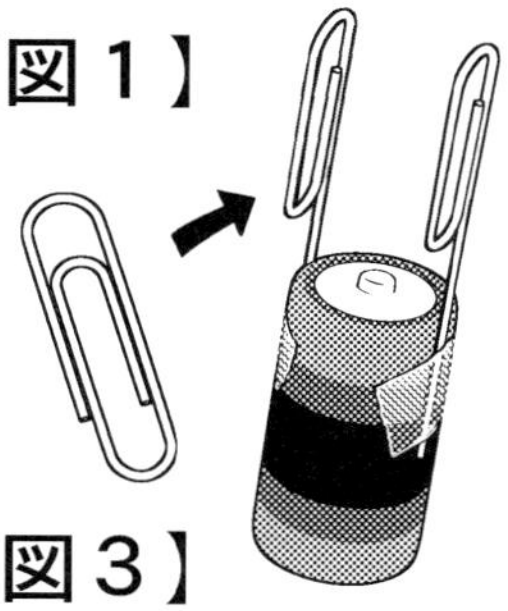

【図2】

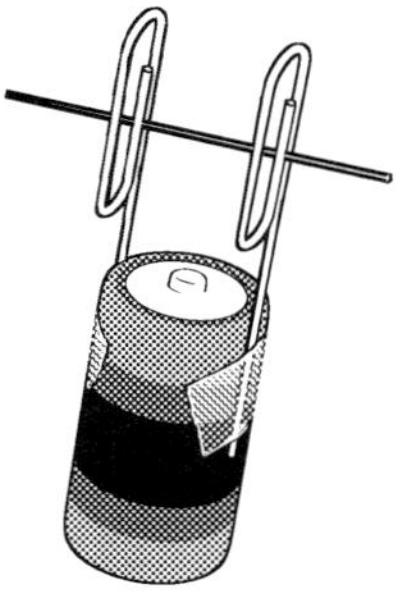

【図3】

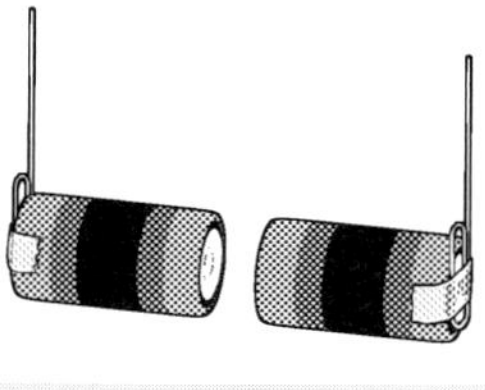

【図4】

実験《じっけん》の進《すす》め方《かた》

❶電話帳《でんわちょう》の窪《くぼ》みに「＋極《プラスきょく》にクリップのついた単二乾電池《たんにかんでんち》」「何《なに》もしていない単二乾電池《たんにかんでんち》」「－極《マイナスきょく》にクリップのついた乾電池《かんでんち》」の順《じゅん》に、隙間《すきま》を開《あ》けて(ここ重要《じゅうよう》です)、どれも＋極《プラスきょく》が左《ひだり》を向《む》くようにして並《なら》べる。

❷単一乾電池《たんいちかんでんち》のクリップと、単二乾電池《たんにかんでんち》のクリップを、それぞれみのむしクリップ付《つ》き導線《どうせん》でつなぐ。

❸単二乾電池《たんにかんでんち》をすべてくっつけて隙間《すきま》をなくすと、シャーペンの芯《しん》から煙《けむり》が出《で》て、芯《しん》がオレンジ色《いろ》に光《ひか》り始《はじ》める。光《ひか》らないときは、あいだにはさむ電池《でんち》を増《ふ》やす。

はさむ電池《でんち》を増《ふ》やしていくと、明《あか》るくなり、光《ひかり》は白《しろ》い色《いろ》に変《か》わっていく。いったいどのくらいまで明《あか》るく白《しろ》くなるのか、芯《しん》が焼《や》き切《き》れるまでやってみよう。

★シャーペンの芯とクリップはとても熱くなります。とくに光っている芯には、絶対に触ってはいけません。片付けや、焼き切れた芯の交換も、5分以上冷ましてから行いましょう。

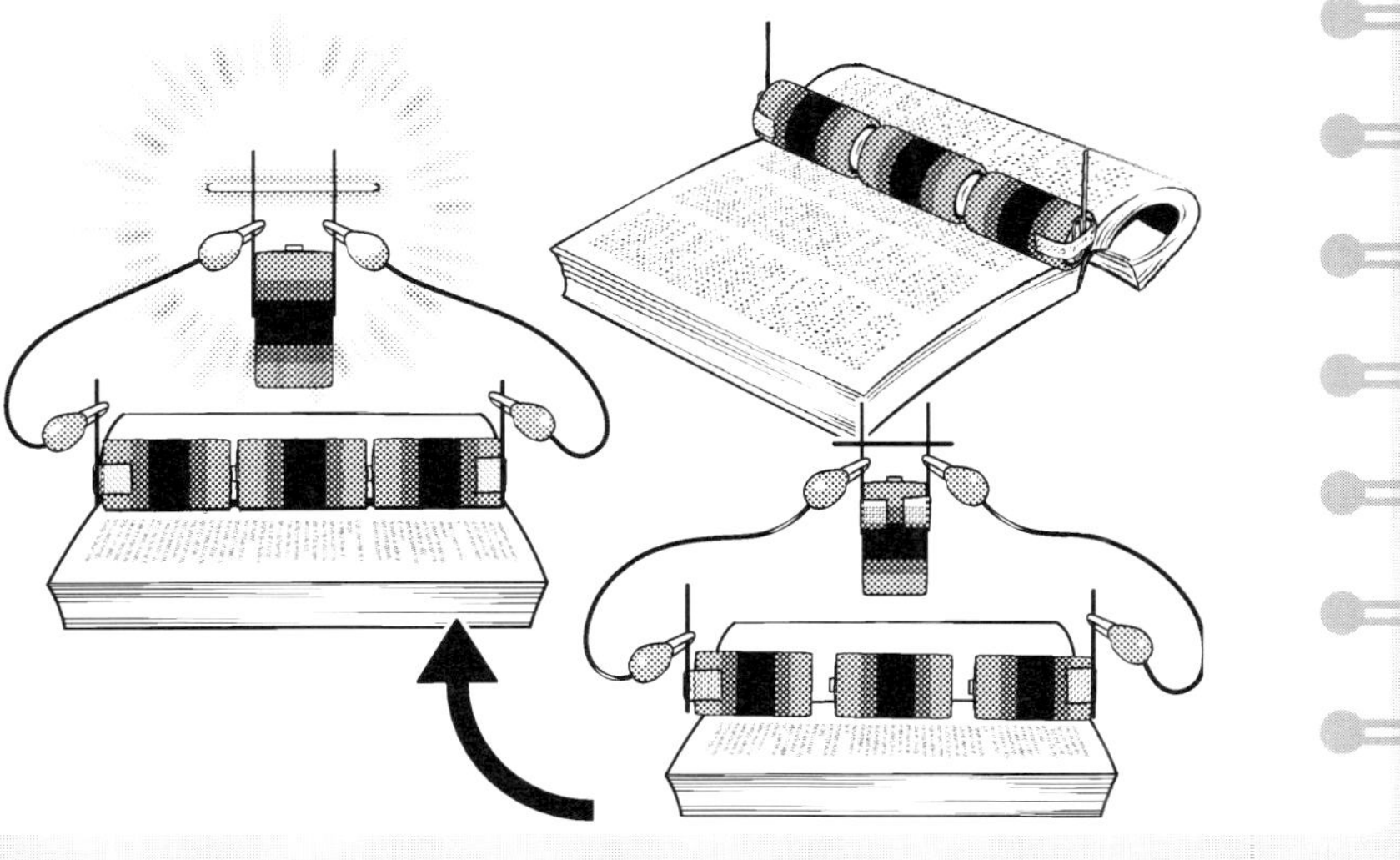

大人気！
ジュニア空想科学
マンガやアニメを科学的に検証する「日本一笑える理科の本」！
角川つばさ文庫で
好評発売中！

柳田理科雄《やなぎたりかお》／著
1961年鹿児島県種子島生まれ。東京大学中退。学習塾の講師を経て、96年『空想科学読本』を上梓。99年、空想科学研究所を設立し、マンガやアニメや特撮などの世界を科学的に研究する試みを続けている。明治大学理工学部非常勤講師も務める。

藤嶋《ふじしま》マル／絵
1983年秋田県生まれ。イラストレーター、マンガ家として活躍中。

永地《えいち》／絵
(『ジュニ空』読者のための「やってみよう！　空想科学のプチ実験！」)
イラストレーター、マンガ家として活躍中。作画を担当したマンガ作品に『Yの箱舟』などがある。

愛蔵版《あいぞうばん》

ジュニア空想科学読本《くうそうかがくどくほん》⑤

著《ちょ》　柳田理科雄《やなぎたりかお》
絵《え》　藤嶋《ふじしま》マル

2017年12月　初版1刷発行
2022年 4 月　初版3刷発行

発行者　小安宏幸
発　行　株式会社汐文社
　　　　〒102-0071　東京都千代田区富士見 1-6-1
　　　　富士見ビル1F
　　　　TEL03-6862-5200 FAX03-6862-5202
印　刷　大日本印刷株式会社
製　本　大日本印刷株式会社
装　丁　ムシカゴグラフィクス

ISBN978-4-8113-2408-1　C8340　　N.D.C.400